Breve historia de Chile

IMAGEN DE CHILE

© 1979, SERGIO VILLALOBOS.
Inscripción Nº 57.918, Santiago de Chile.

Derechos de edición reservados para todos los países por
© EDITORIAL UNIVERSITARIA, S.A.
María Luisa Santander 0447. Santiago de Chile.

www.universitaria.cl
editor@universitaria.cl

ISBN 956-11-1138-1

Texto compuesto en tipografía *Caslon y Goudy 9/12*

Se terminó de imprimir esta
DÉCIMO NOVENA EDICIÓN,
de 2.000 ejemplares,
en los talleres de Editora e Imprenta Maval Ltda.
San José 5862, San Miguel, Santiago de Chile,
en agosto de 2003.

DECLARADO MATERIAL DIDÁCTICO COMPLEMENTARIO
Y TAMBIEN DE CONSULTA DE LA EDUCACIÓN CHILENA,
SEGÚN RESOLUCIÓN 1914 DEL 8 DE AGOSTO DE 1984,
DEL MINISTERIO DE EDUCACIÓN.

IMPRESO EN CHILE / PRINTED IN CHILE

Sergio Villalobos R.

Breve historia de Chile

EDITORIAL UNIVERSITARIA

ÍNDICE

PRÓLOGO

En los últimos tiempos ha vuelto a despertarse el interés por la historia de Chile. Los investigadores realizan búsquedas minuciosas y los ensayistas proponen interpretaciones que dan sentido al pasado. Por sobre todo son las preocupaciones del presente las que mueven al chileno a buscar en su historia la explicación de los problemas actuales. ¿Cómo hemos sido? ¿De qué manera se ha forjado esta nación? ¿Cuál es la herencia más valiosa del pasado?

Esta *Breve historia* no tiene grandes pretensiones. Su objeto es entregar un relato sencillo y esquemático, que contenga una información mínima al alcance de todo público. No se encontrará, por lo tanto, una elaboración complicada ni un lenguaje difícil; aunque se proporcionarán los datos necesarios para entender todo el trayecto histórico del país.

Es un cuadro reducido pero completo que, sin un esfuerzo penoso, permitirá conocer la historia de Chile en sus hechos fundamentales.

S. V.

LAS CULTURAS ABORÍGENES

Los primeros pueblos

ORIGEN DEL HOMBRE AMERICANO

Los primitivos habitantes de América llegaron desde el Asia en diversas oleadas y grupos.

Los arqueólogos que se han dedicado a investigar en este tema sostienen diferentes puntos de vista.

La teoría más aceptada es la del paso de grupos *premongólicos* y *esquimales* a través del *estrecho de Bering*, con rumbo a Alaska. En épocas muy remotas, entre 10.000 y 40.000 años atrás, hubo período de glaciación, es decir, de aumento de las masas de hielo en las zonas de alta latitud y en las regiones más elevadas. Este hecho provocó una disminución del agua de los mares y, por tanto, bajó considerablemente su nivel. Al descender las aguas, quedó en descubierto una faja terrestre que unía en el norte a Asia con América, en la región del estrecho de Bering.

De esta manera, grupos asiáticos pudieron pasar a América y distribuirse por el continente.

Concluidos los períodos de glaciación, también es posible que navegando en pequeñas embarcaciones, a través del estrecho de Bering, llegaran otros grupos.

Otra teoría, que complementa la anterior, señala el poblamiento de América mediante grupos *malayos y polinésicos* que habrían navegado de isla en isla a través del Pacífico. Estos grupos habrían llegado a diversas regiones, dando origen a indígenas de distinto aspecto físico y cultural.

En nuestra época, la navegación realizada exitosamente por algunos exploradores en balsas de construcción rústica ha demostrado que es posible cruzar los grandes océanos con medios primitivos.

Los hombres que llegaron a América eran *recolectores y cazadores*, que vivían de frutos silvestres y de los animales y aves que lograban matar. Desde entonces y a través de miles de años, evolucionaron formando distintos pueblos aborígenes, algunos de ellos de elevada cultura, como los *aztecas* de México, los *mayas* de Centroamérica y los *incas* del Perú. Otros se mantuvieron en un estado muy primitivo.

LOS ANTIGUOS POBLADORES DE CHILE

Los primeros habitantes del país, que provenían del norte formando bandas de cazadores y recolectores, se situaron al parecer al pie del *altiplano andino*, donde los ríos y las quebradas les permitían desenvolver su vida. En las proximidades de San Pedro de Atacama, se han encontrado restos arqueológicos de 9.000 años a.C. Una antigüedad parecida se ha detectado en las cercanías de Los Vilos y en Taguatagua, donde existió una laguna. Los hombres llegaron también hasta la región magallánica, procedentes de la Patagonia, dedicándose a la caza y la pesca.

Algunas bandas se situaron en la costa del norte. Cierta humedad, que daba lugar a una escasa vegetación, y el alimento de peces y mariscos creaban condiciones de vida que eran bien aprovechadas. La caza del guanaco, que merodeaba por allí, les permitía abastecerse de carne.

Algunas caletas cobijaron a estos grupos que dejaron una huella inconfundible: vastos conchales de varios metros de profundidad. Éstos resultaron de largos períodos de acumulación de las conchas de los mariscos que comían aquellos hombres.

En medio de los conchales se han encontrado anzuelos de concha y huesos, y una variedad de piedras trabajadas a golpes, que servían como punta de proyectiles, raspadores, morteros, etcétera.

COMIENZOS DE LA AGRICULTURA

Con el paso de los siglos, unos 4.000 años a.C., algunos grupos situados junto a los ríos y quebradas cordilleranas de los desiertos de Tarapacá y Atacama, iniciaron cultivos mediante el trabajo de la tierra y el empleo del regadío. Tales grupos se hicieron *sedentarios*, tuvieron que permanecer en las localidades, organizar el trabajo, cuidar las sementeras y hacer la cosecha llegado el momento. Construyeron viviendas permanentes y desarrollaron la alfarería para guardar los granos, preparar los alimentos y mantener el agua y sus bebidas.

Al mismo tiempo hubo preocupación por capturar auquénidos, especialmente la llama y la vicuña, criarlos y reproducirlos, de modo que se inició la actividad ganadera. Tanto las tareas agrícolas como el pastoreo, influyeron en el orden social: hubo que reglamentar el trabajo y señalar los deberes de cada uno. El poder colectivo, a través de autoridades, vigiló el cumplimiento del sistema.

En etapa muy posterior, se dejó sentir la influencia de Tiawanako, una cultura muy dinámica y expansiva del altiplano andino (actual Bolivia). Bajo su influencia las etnias de los desiertos avanzaron aún más en la técnica agrícola, el intercambio de especies, la vestimenta y el arte.

Los indígenas a la llegada
de los españoles

DIVERSOS PUEBLOS

Los aborígenes que poblaban el actual territorio de Chile a la llegada de los españoles presentaban una gran variedad de culturas.

Había grupos en estado muy primitivo, verdaderos *nómades* que se trasladaban de lugar en lugar en busca de recursos. Eran bandas de cazadores y recolectores.

Algunos grupos habían evolucionado y se habían transformado en *agricultores*, sin que hubiesen dejado por completo la caza y la recolección. Ocupaban permanentemente la tierra, practicaban la ganadería de llamas, conocían la alfarería y la fabricación de géneros. Sus viviendas eran de materiales sólidos y se agrupaban en aldehuelas compactas.

Finalmente, una civilización, la de los incas, se había extendido por el norte y centro del país, superponiéndose a los otros pueblos. Formaban parte de un enorme imperio con excelente cultura material y una organización superior.

Los principales pueblos, de acuerdo con su nivel cultural, eran los siguientes:

CHANGOS, CHONOS, FUEGUINOS Y PEHUENCHES

Los changos eran los descendientes del hombre de los conchales, y se encontraban en las caletas y playas del norte y centro del país. El contacto con otras culturas había enriquecido sus bienes materiales. Fabricaban diversas vasijas de greda, cestas de fibras vegetales, artículos de cuero y algunos objetos de metal.

El mar seguía siendo, sin embargo, su principal fuente de recursos. Usaban *balsas de cueros de lobo* infladas, que les permitían hacerse a la mar para pescar.

En las islas situadas al sur de Chiloé habitaban los *chonos*, que también vivían principalmente de los alimentos del mar. Con sus frágiles embarcaciones recorrían los puntos costeros de las islas.

A . *Plan dune Balse faite de peaux de loups marins cousus et pleines d'air*.
B . *Indien sur une Balse viie de Coté*. C . *autre viie de front*
D . *Traverses pour rassembler les deux moitiés de la balse* E *trou pour*
les y faire et la remplir d'air. F . *maniere de coudre les peaux*
G . *Loup marin a terre* H . *Pingoüin*

Chango en balsa de cueros de lobo según Frezier, viajero del siglo XVIII.

Los *fueguinos*, que poblaban los archipiélagos situados al sur del estrecho de Magallanes, se encontraban en el nivel más primitivo. Comprendían tres tribus de características más o menos similares: ona, yagán y alacalufe.

Los *onas* habitaban la isla de Tierra del Fuego y generalmente no se aventuraban en el mar. Los *yaganes* y los *alacalufes* navegaban continuamente en pequeñas piraguas por los canales magallánicos.

Indios fueguinos dibujados por un explorador inglés de 1670.

Todos los fueguinos eran pescadores y cazadores. Su alimento se componía de peces, mariscos, lobos de mar y restos de ballenas muertas arrojadas a las playas. La vivienda era una pequeña armazón de palos cubierta con cueros de guanaco y lobos marinos, que armaban y desarmaban con facilidad.

Las pieles y cueros constituían su escasa vestimenta, aunque solían soportar en completa desnudez la inclemencia del clima, sin que les afectase ni siquiera la nieve.

Características diferentes presentaban los pehuenches, un pueblo nómade que habitaba al otro lado de la cordillera, que incursionaba hacia este lado, frente a la Araucanía. Cazaban el guanaco y se vestían con su piel, habitaban en toldos de ramas y cueros y su principal alimento era el pehuén o piñón de la araucaria, que dio origen a su nombre, que significa hombre del pehuén. Estaban muy influidos por las costumbres araucanas.

LOS ARAUCANOS

Vivían en la región comprendida entre el río Itata y el Toltén.

Eran agricultores primitivos, que además recolectaban frutos

Araucanos.

silvestres y cazaban animales y pájaros. Cultivaban el *maíz* y la *papa*; tenían rebaños de llamas y cazaban el puma y el guanaco.

Usaban utensilios de greda y madera, de confección muy rústica. En cambio, sus tejidos de lana de llama y de guanaco, tales como ponchos y frazadas, eran de hermosos dibujos y colores.

La vivienda era la *ruca*, una habitación espaciosa hecha de palos y ramas, que protegía adecuadamente del frío y la lluvia.

*Cerámica araucana
del tipo "Valdivia".*

En la guerra y la cacería empleaban el arco y la flecha, hondas, lanzas y macanas. Esta última era un palo largo y duro, con el extremo curvo.

Los araucanos pensaban que el mundo de la naturaleza estaba animado por *espíritus*. Éstos se manifestaban en el viento, la lluvia, el crujir de una tabla o el simple revoloteo de un insecto.

Creían que las enfermedades eran causadas por maleficios. Una *machi* o hechicera era llamada para efectuar un *machitún*, especie de ceremonia mágica que le permitía descubrir la causa de la enfermedad o al culpable. La machi fingía sacar del cuerpo del enfermo algún bicho o acusaba a alguna persona, la cual recibiría luego la venganza de los parientes.

Los muertos, según sus creencias, moraban más allá del mar o la cordillera. En su nueva existencia experimentaban las mismas necesidades que en vida, y por eso se les enterraba con sus armas y utensilios, alimentos y jarros con chicha.

Cada agrupación tenía una especie de dios, el *Pillán*, que era la representación de los antepasados. Había también un Pillán superior, que era un dios del bien y del mal.

El pucara *de Lasana, aldea fortificada de los atacameños.*

Tableta de los atacameños por ambos lados y de perfil.

19

Jarro pato, característico
de la cultura diaguita.
Probablemente para uso
ceremonial.

Pequeñas agrupaciones reconocían la autoridad de los caciques y en conjunto formaban *levos*, cuyas familias tenían un antepasado común.

Árboles en el oasis de Atacama

Tiene este valle muy grandes algarrobales y llevan muy buenas algarrobas, que los indios las muelen y hacen un pan gustoso dellas. Y hacen un brevaje con esta algarroba molida, y cuécenla con agua. Es brevaje gustoso. Hay grandes chañarales, que es un árbol a manera de majuelo. Llevan fruto que se llama chañar, a manera de azofaifas, salvo que son mayores. Es valle ancho. Tienen los indios sacadas muchas acequias de que riegan sus tierras.

Crónica de Jerónimo de Bibar.

Pieza de cerámica
única en su tipo. Diaguita
con influencia inca.

No existía un gobierno central, pero la llegada de los españoles les hizo unirse de vez en cuando para combatir. Elegían entonces un *toqui*, bajo cuyo mando se ponían varios levos. Terminada la campaña, los caciques y sus hombres se desbandaban.

Vecinos a los araucanos vivían otros pueblos de características parecidas. Inmediatamente al norte y hasta el río Choapa, se situaban los *picunches* y al sur los *huilliches* hasta la isla de Chiloé.

ATACAMEÑOS Y DIAGUITAS

Ambos pueblos eran agricultores avanzados.

Los atacameños vivían en los oasis del desierto de Atacama. El grupo mejor estudiado por los arqueólogos es el de San Pedro de Atacama.

El rigor del clima, la pobreza de las tierras y la falta de recursos, obligaron a los atacameños a vencer con inteligencia las dificultades de la naturaleza.

Mediante canales de regadío, llevaban las escasas aguas de los riachuelos a una *terraza angosta* escalonadas en los faldeos de las quebradas, donde preparaban sus cultivos. Poseían además ganados de llamas, vicuñas y alpacas.

Sus tejidos y vestimentas eran notables. Fabricaban frazadas, camisas y ponchos multicolores, adornados con bordados que representaban animales estilizados y dibujos geométricos.

Conocían la *metalurgia* del cobre y del bronce y, en menor medida, la de la plata y la del oro. La *alfarería* y la *cestería* sobresalían por la hermosura de sus productos.

Las casas, de aspecto muy compacto, eran de piedra trabajada groseramente; el techo era de palos y totora. Se apretujaban escalonadamente en pequeños poblados llenos de vericuetos, algunos de los cuales tomaban el carácter de ciudadelas fortificadas. En este

Un jefe inca.

caso se les llamaba *pucara*, que significa fortaleza. Usaban tabletas de madera para aspirar alucinógenos.

Al sur de los atacameños vivían los diaguitas. Ocupaban los valles comprendidos entre los ríos Copiapó y Choapa.

Su nivel cultural era ligeramente inferior al de los atacameños.

La *cerámica*, muy delicada e imaginativa, constituía su rasgo más notable. Escudillas, vasijas, platos y jarros, lucían una decoración geométrica elaborada en blanco, rojo y negro. Algunos cacharros imitaban caras humanas y otros la figura de un pato nadando.

Tanto los atacameños como los diaguitas eran muy escasos en número.

EL IMPERIO DE LOS INCAS

Setenta años antes de la llegada de los españoles a Chile, los incas expandieron su dominio hasta nuestro territorio.

El imperio tenía su centro en el Cuzco y comprendía las regiones de Ecuador, Perú, Bolivia, y el noroeste argentino.

Su organización social descansaba en el riguroso cumplimiento de las obligaciones para con la comunidad. El Estado, encabezado por un monarca absoluto llamado *inca*, estaba muy desarrollado. Sus ciudades, sus casas y sus templos revelaban un alto grado de civilización. Los bienes materiales, los utensilios y la vestimenta eran de gran calidad.

El *camino del inca*, es decir, una red de calzadas o simples senderos, unía las diversas regiones, facilitando la comunicaciones. A intervalos regulares había tambos, especie de posadas donde los indígenas del lugar tenían la obligación de mantener leña, agua y alimentos para los viajeros y los destacamentos de guerreros.

La expansión hacia Chile fue iniciada por el inca *Tupac Yupanqui*. En un paulatino avance y venciendo focos aislados de resistencia, alcanzaron probablemente hasta el río Maule. Allí encontraron la dura hostilidad de los araucanos y la expansión se detuvo.

La influencia incásica no fue muy profunda, porque se dejó sentir durante un tiempo relativamente corto. Además los incas no pretendían cambiar las costumbres de los pueblos sometidos: su dominación era benigna. Permitían practicar la religión y las lenguas locales.

Los pueblos subyugados debían colaborar trabajando en algunas obras y pagando tributos en especies o metales preciosos, como el oro. En algunas ocasiones, ciertos grupos de la población eran trasladados a regiones distintas.

Cuando los españoles desembarcaron en el Perú, había una lucha interna, que concluyó con el triunfo del inca *Atahualpa* sobre su hermanastro *Huáscar*. La guerra había debilitado el imperio y esto favoreció la conquista española.

DESCUBRIMIENTO Y CONQUISTA
1536 - 1600

Los españoles en América

PROBLEMAS DEL COMERCIO EUROPEO

En las postrimerías del período llamado Edad Media (siglos v a xv), el comercio de Europa con el Lejano Oriente había alcanzado un gran auge. Desde la India, la China y las islas malayas, se llevaban sedas y otras telas finas, como asimismo *especias*, es decir, canela, clavo de olor, pimienta, nuez moscada y otros productos que sazonaban los alimentos de los europeos.

Las rutas utilizadas por aquel tráfico eran largas e inseguras. Atravesaban los desiertos y mesetas del Asia, o el mar Rojo y el océano Índico. Todas ellas eran controladas por los árabes o las tribus de otros pueblos, que constituían un peligro y exigían fuertes tributos.

El mal se agravó cuando los turcos se apoderaron de *Constantinopla* y comenzaron a hostilizar el comercio. Las repúblicas italianas de Génova y Venecia, que servían de nexo en este tráfico, fueron las más perjudicadas.

También tuvo mucha importancia el comercio de oro y esclavos en África, que obligó a explorar las aguas cercanas del Atlántico y poblar algunas de sus islas (Canarias, Cabo Verde).

Hacia la misma época, los reinos de *Portugal* y *España* comenzaron a orientar sus exploraciones rumbo al Atlántico y la costa africana, con la esperanza de obtener ventajas comerciales. La nación que pudiese navegar por el sur de África, podría comerciar directamente con el Asia.

El progreso experimentado por la navegación facilitó las exploraciones. Nuevos tipos de nave, como la *carabela*, con un velamen más complicado, y dotadas de timón, superaron a las viejas embarcaciones; así pudieron salir a navegar por los grandes espacios oceánicos.

Al mismo tiempo, la invención de la *aguja imantada* o brújula, y de otros aparatos, permitió a los pilotos fijar la posición de la nave en cualquier punto del globo.

La utilización de *cartas geográficas* y la presencia de navegantes muy experimentados, conocedores de las corrientes marinas y los vientos, facilitaron el desenvolvimiento de la navegación.

LA AVENTURA DE COLÓN

Las exploraciones iniciadas por Portugal y España en el Atlántico tuvieron felices resultados.

Los navegantes portugueses avanzaron en el reconocimiento del litoral africano, descubriendo el cabo de *Buena Esperanza* en el extremo sur del continente. Este hecho permitió luego a *Vasco de Gama* iniciar una expedición en busca de la *India*, a donde llegaría en 1498.

España, en cambio, orientó sus exploraciones hacia el occidente, gracias a los servicios de *Cristóbal Colón*.

Era éste un genovés cuyo padre había alcanzado una regular fortuna en la fabricación de telas y diversos negocios mercantiles. Colón había participado en esos negocios y también había adquirido experiencia como marino, capitaneando algunas naves.

Llevado de un gran interés por las exploraciones geográficas, concibió el proyecto de llegar al Asia navegando por el Atlántico rumbo al oeste.

En aquella época ya se sabía que la Tierra era redonda. Basándose en este concepto, Colón elaboró su plan. Según sus ideas, el

En el convento de la Rábida, Colón explica sus ideas a los frailes y a algunos vecinos de Puerto de Palos.

globo terráqueo era muy pequeño y bastaría una corta navegación para llegar al Asia.

Sin embargo, Colón se equivocaba. La distancia era tres veces mayor y una enorme masa continental, América, se interponía de norte a sur impidiendo la navegación.

Colón presentó su proyecto a la corte portuguesa, pero sin

Mercaderes europeos. La búsqueda de riqueza a través del comercio con África y Asia fue el gran incentivo para los viajes de exploración.

éxito. Luego se dirigió a España y después de muchas dilaciones logró interesar a la reina *Isabel la Católica.*

Con el apoyo de ella y de otros personajes, el genovés logró equipar tres pequeñas carabelas, la *Santa María,* la *Pinta* y la *Niña.* Contaba, además, con la ayuda de dos experimentados marinos, los hermanos Martín Alonso y Vicente Yáñez Pinzón.

El viaje fue exitoso, a pesar de las dificultades de la navegación y del temor de los marineros.

El *12 de octubre de 1492* los expedicionarios avistaron tierra: habían descubierto América, aunque creían estar en las islas del Asia.

Desde aquel momento, y mediante nuevos viajes, Colón y otros navegantes llevaron a cabo el reconocimiento de las *islas* y costas del *mar Caribe*.

Nuevas expediciones recorrieron el litoral atlántico de Sudamérica, ampliando el conocimiento geográfico del continente. El portugués Pedro Álvarez Cabral descubrió el *Brasil* (año 1500), Juan Díaz de Solís navegó hasta el *Río de la Plata* y Américo Vespucio avanzó aún más al sur.

MAGALLANES BUSCA UN PASO AL ORIENTE

Las diversas exploraciones demostraron a los europeos que Colón no había llegado al Asia, sino a un nuevo continente, América, que impediría continuar rumbo al oriente.

Un marino portugués, Hernando de Magallanes, que había estado en la India, concibió la idea de que en el sur de América debía haber un paso que permitiese entrar en el océano que se extendía

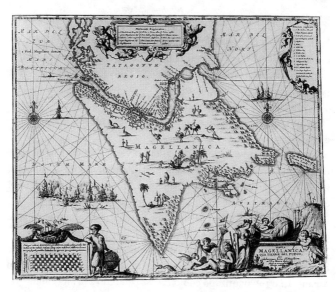

El estrecho de Magallanes y la Tierra del Fuego.

Los Reyes Católicos, Fernando e Isabel, ingresan en Granada tras derrotar a los moros. Ese hecho permitió apoyar a Colón.

hacia el Asia. Obsesionado con este pensamiento, Magallanes ofreció sus servicios al rey de Portugal. Como no encontrase acogida, se dirigió a la corte española, donde su joven monarca, Carlos V, le prestó el más decidido apoyo.

Magallanes logró formar una sociedad para financiar la expedición, que quedó compuesta por cinco naves con todos sus pertrechos.

El viaje estuvo lleno de dificultades y sobresaltos. Fue necesario pasar el invierno en una caleta de la Patagonia y aplastar con la mayor energía un intento de sublevación, ejecutando a algunos capitanes y marineros.

Reanudado el viaje, Magallanes descubrió finalmente el paso que buscaba. Era el *1° de noviembre de 1520.*

Durante casi un mes la expedición recorrió el estrecho que luego tomaría el nombre de su descubridor, hasta salir al gran océano, que fue bautizado como *Pacífico*, debido a la rara calma que reinaba en ese momento.

Hernando de Magallanes.

Reducida la expedición a sólo tres naves, iniciaron la travesía rumbo al Asia. El viaje fue largo y muy penoso por la falta de alimentos y las enfermedades de la tripulación.

Magallanes murió peleando con los nativos de las islas Filipinas y desde ese momento tomó el mando *Sebastián Elcano*, que continuó la navegación con la única nave que restaba, la *Victoria*. Con ella surcó el océano Índico, rodeó el África y llegó finalmente a Sevilla.

Además del descubrimiento del estrecho de Magallanes, por primera vez se había circunnavegado el globo.

El viaje había durado tres años. Regresaron sólo 17 hombres de los 265 que habían salido de España.

Mientras los navegantes adelantaban la exploración de los mares y las costas, diversos capitanes al frente de audaces grupos de hombres penetraban en el continente y conquistaban el territorio.

La conquista de *México*, asiento del rico imperio azteca, llevada a cabo por Hernán Cortés, fue una de las más interesantes por la heroica defensa de los naturales y las riquezas que se obtuvieron.

Igualmente interesante fue la conquista del Perú, protagonizada por *Francisco Pizarro* y *Diego de Almagro*.

Desde Panamá equiparon ellos algunas expediciones marítimas en busca de un fabuloso imperio, que los indígenas del istmo afirmaban que existía más al sur.

Después de algunos intentos, Pizarro logró entrar en contacto

Francisco Pizarro.

con el imperio de los Incas y mediante un golpe de audacia se apoderó de su monarca, *Atahualpa*.

La prisión del Inca significó para los españoles una gran victoria moral que les permitió dominar rápidamente el imperio. La capital de los indígenas, el Cuzco, cayó en poder de Almagro.

Un enorme tesoro de oro y plata reunido por Atahualpa para pagar su libertad, dio a los conquistadores del Perú una riqueza extraordinaria.

La amistad de Pizarro y Almagro, sin embargo, había sufrido por diversos incidentes. Para evitar mayores problemas, se decidió que Almagro continuase la conquista hacia el sur.

Los indígenas del Perú hablaban de una región llamada Chile, muy rica en oro, que colmaría las ambiciones de los españoles. Estas noticias llenaron de ilusión a Almagro y sus hombres.

ALMAGRO DESCUBRE CHILE

Echando mano de toda la fortuna que había logrado reunir, Almagro equipó una expedición de más de *400 hombres*. Las autoridades incásicas le ayudaron disponiendo que un crecido número de auxi-

Diego de Almagro y sus hombres salen del Cuzco rumbo a Chile
(óleo de fray Pedro Subercaseaux).

La primera misa en Chile (óleo de Pedro Subercaseaux).

liares indígenas, que conducían tropillas de llamas con alimentos y toda clase de utensilios, les prestara ayuda a lo largo de la ruta.

Almagro salió del Cuzco y se dirigió al *altiplano boliviano*, siguiendo uno de los caminos del inca. Pasó por las cercanías del lago Titicaca y prosiguió hacia el sur.

Para entrar al territorio de Chile, atravesó la Cordillera de los Andes por un paso de 4.200 m. de altura cerca del valle de Copiapó. El sufrimiento de los expedicionarios fue indecible por la falta de alimentos, el frío y la nieve. Algunos murieron y otros experimentaron las quemaduras causadas por la nieve. Uno de los hombres, al tirar de las botas, vio con horror que se le habían desprendido los dedos de los pies. Los auxiliares indígenas habían huido con anterioridad llevándose las llamas con los pertrechos. Almagro y su gente quedaban entregados a su propia suerte.

Afortunadamente, la columna pudo atravesar la cordillera y descender al valle de Copiapó. Era el año *1536*, fecha que señala el *descubrimiento de Chile*.

Almagro avanzó luego hasta el valle de Aconcagua, donde estableció su campamento. Desde allí hizo reconocer el territorio por sus capitanes.

Como no encontrasen la riqueza que esperaban, los expedicionarios decidieron dar la vuelta al Perú, que se les presentaba como una región con abundancia de oro y plata.

El regreso se efectuó por los *desiertos* del norte, cercanos a la costa, para evitar la travesía de la cordillera.

La expedición había sido un desastre y Almagro terminó sus días trágicamente. Las disputas con Pizarro se decidieron en una lucha armada, que concluyó con la derrota del descubridor de Chile y posteriormente con su muerte, ordenada por los hermanos de Pizarro.

La conquista de Chile

CARACTERÍSTICAS DE LOS CONQUISTADORES

Los hombres que vinieron a establecerse definitivamente en Chile eran en más de un ochenta por ciento de condición modesta: villanos que poseían oficios como campesinos, artesanos, peones y vagabundos. Fueron fundamentales para iniciar toda clase de labores y actuaron como soldados todas las veces que fue necesario.

Guerreros propiamente eran los hidalgos, el sector más bajo de la nobleza, que viviendo en situación muy desmedrada en España, pasaron a América en el deseo de enriquecerse y llegar a ser grandes señores. Su número fue escaso; pero de entre ellos salieron los capitanes y obtuvieron los principales cargos y beneficios.

Pocos sabían leer y escribir, lo que era normal en toda Europa. El nivel moral no era mejor ni peor que el del común de la población española. Hubo figuras notables por su cultura y carácter.

Las mujeres fueron muy pocas en un comienzo: algo más del veintitrés por ciento en los primeros treinta años.

Todos los conquistadores pasaron al Nuevo Mundo para mejorar su situación, obtener lo que no podían lograr en España. Mediante la riqueza y los servicios a la Corona esperaban alcanzar los altos niveles de la sociedad. Por eso conquistaban territorios y buscaban el oro y otras riquezas. Al mismo tiempo, eran estimulados por el sentimiento religioso y la lealtad al Rey.

PEDRO DE VALDIVIA

Tres años después del regreso de Almagro al Perú, Pedro de Valdivia, uno de los capitanes más meritorios de Pizarro, decidió intentar de nuevo la conquista de Chile, no obstante el desprestigio en que había caído la región.

Valdivia había nacido en una de las aldeas de la región de la Serena de Extremadura, en España. Descendía de una familia de *hidalgos*, es decir, de guerreros ennoblecidos y de condición modes-

Pedro de Valdivia (grabado de una antigua crónica).

ta, que poseían casa solariega y escudo de armas. Muy joven aún, ingresó al ejército de Carlos V y peleó en Flandes y en Italia bajo el mando de famosos generales. Su valentía le permitió alcanzar el título de *capitán* cuando aún no llegaba a los 25 años de edad.

De vuelta en su tierra, casó con doña Marina de Gaete; pero no permaneció a su lado por mucho tiempo. Las maravillosas noticias que llegaban de América y las posibilidades que se presentaban a los hombres tenaces y emprendedores le decidieron a partir en busca de un mejor destino.

Primero estuvo en Venezuela y luego se dirigió al Perú, donde ganó la confianza de los hermanos Pizarro.

Valdivia era un hombre de fuerte voluntad, que ambicionaba el poder y deseaba inmortalizar su nombre realizando una gran tarea. Por esta razón, no le interesaban la riqueza ni la situación alcanzada en el Perú: sus propósitos eran conquistar un territorio propio y disfrutar de la posición de un gran señor.

LA EXPEDICIÓN

Valdivia tuvo varias dificultades para organizar una hueste. Disponía de muy poco dinero para adquirir armas e implementos y los hom-

37

La fundación de Santiago fue el primer paso para establecerse en Chile (óleo de Pedro Lira).

bres no querían venir a una región que, en lugar de riquezas, sólo ofrecía sufrimientos.

No reunió más de doce soldados. A su lado tenía, sin embargo, a *Inés Suárez*, una mujer valiente y decidida que le apoyó constantemente.

Con tan escaso número de personas y unos cuantos indios auxiliares, Valdivia salió del Cuzco y se dirigió hacia el sur por el camino de los desiertos usado por Almagro al regreso.

Durante el trayecto se juntaron a la columna algunos grupos de conquistadores que habían fracasado en el interior de Bolivia. Ellos engrosaron la hueste de Valdivia, que llegó a contar con *150 hombres*. Recién entonces la conquista de Chile se convirtió en una posibilidad.

En el valle de Copiapó, Pedro de Valdivia tomó *posesión* del país en nombre del Rey de España.

Después de casi un año desde la salida del Cuzco, la expedición llegó al valle del río Mapocho, que ofrecía excelentes condiciones para servir de centro de la conquista.

FUNDACIÓN DE SANTIAGO

El 12 de febrero de 1541, Valdivia procedió a fundar la primera ciudad, que denominó Santiago de la Nueva Extremadura. El sitio elegido estaba al pie del cerro Santa Lucía, llamado *Huelén* por los indios, y entre el río Mapocho y un brazo de éste que corría por la actual Alameda.

Un alarife procedió a trazar a cordel las calles y a dividir cada manzana en cuatro solares, que fueron asignados a los soldados. La manzana del medio quedó libre para servir como Plaza de Armas. A sus costados se señalaron los sitios necesarios para hacer una capilla y las casas de los principales capitanes.

El escribano de la expedición redactó un acta para dejar testimonio de la ceremonia de fundación.

Días más tarde, Pedro de Valdivia creó el *Cabildo* de la ciudad y designó a los alcaldes y regidores, eligiéndolos entre la gente de mayor confianza.

REPARTO DE TIERRAS E INDIOS

Después de fundada una ciudad, los conquistadores se repartían las tierras y los indios comarcanos para iniciar los trabajos productivos.

Grandes *chacras* en los alrededores de la ciudad eran adjudicadas por el jefe con el fin de producir alimentos. En las tierras más distantes se entregaban *estancias*, donde principalmente se criaba ganado.

Mayor importancia tenía la distribución de la población indígena, que tenía por objeto proporcionar obreros a los españoles.

Grupos de varios cientos o miles de indios eran entregados a los personajes más destacados para que utilizasen su trabajo a cambio de la obligación de cuidarlos y ejercer una tutela sobre ellos. Como los indios eran encomendados a los españoles, el sistema se llamó *encomienda* y el beneficiado *encomendero*.

Mediante el trabajo de los indios, los conquistadores pudieron levantar sus casas, atender las faenas del campo y, lo que era más importante, explotar *lavaderos de oro*.

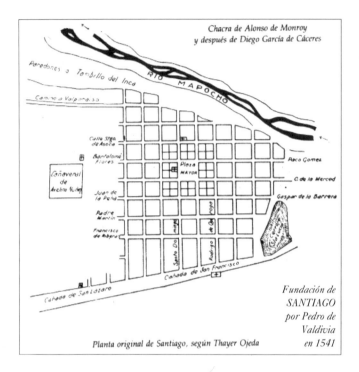

Fundación de
SANTIAGO
por Pedro de
Valdivia
en 1541

Planta original de Santiago, según Thayer Ojeda

En el estero de Margamarga, curso superior del actual estero de Viña del Mar, hubo lavaderos que dieron gran rendimiento. Posteriormente, en Quilacoya, cerca de Concepción, y otros lugares, se obtuvieron buenas cantidades de oro.

El sistema de encomiendas se prestó, sin embargo, para infinidad de abusos y crueldades, y fue una de las causas de la desintegración de las comunidades indígenas y del descenso de su población.

RESISTENCIA INDÍGENA

Los primeros años de Santiago fueron de increíble dureza. La ciudad fue asaltada y quemada por los indios y los españoles debieron sufrir por la falta de alimentos y de ropas.

Los trabajos de la conquista

Para perseverar en la tierra y perpetuarla a vuestra Majestad, habíamos de comer del trabajo de nuestras manos como en la primera edad. Procuré de darme a sembrar y hice de la gente que tenía dos partes, y todos cavábamos, arábamos y sembrábamos en su tiempo, estando siempre armados y los caballos ensillados de día; y una noche hacía cuerpo de guardia la mitad y velaban, y lo mesmo la otra; y hechas las sementeras, los unos atendían a la guardia dellas y de la ciudad de la manera dicha, y yo con la otra andaba a la continua ocho y diez leguas a la redonda della, deshaciendo las juntas de indios...

He sido gobernador, en su real nombre, para gobernar sus vasallos y capitán para los animar en la guerra y ser el primero a los peligros, padre para los favorecer con lo que pude y dolerme de sus trabajos, ayudándoselos a pasar, como de hijos, y amigo en conversar con ellos, jumétrico en trazar y poblar, alarife en hacer acequias y repartir aguas, labrador y gañán en las sementeras, mayoral y rabadán en hacer criar ganados, y, en fin, poblador, criador, sustentador, conquistador y descubridor.

Carta de Valdivia al emperador Carlos V, 1545.

La lucha contra los nativos fue constante antes de obtener su sumisión. Ellos desplegaron una gran habilidad guerrera. Atacaban a los conquistadores en oleadas sucesivas para agobiarlos, levantaron fortificaciones de troncos y eligieron los campos de batalla de manera que la caballería de los españoles tuviese que combatir en las peores condiciones. Se apoyaban en pantanos, bosquecillos y quebradas para proteger sus flancos.

Sin embargo, la superioridad de las armas y los caballos, facilitaron el triunfo de los españoles. Además, la población autóctona en la parte central del país no era muy numerosa.

Arcabucero.
Las armas y el caballo
fueron fundamentales
en el éxito de los
conquistadores.

AMPLIACIÓN DE LA CONQUISTA

Con algunos escasos refuerzos de hombres y armas, recibidos esporádicamente, la conquista pudo expandirse. En el norte se fundó La Serena (1544) para facilitar las comunicaciones con el Perú. Posteriormente, se fundaron en el sur las ciudades de Concepción, Imperial, Villarrica, Valdivia y Angol, y algunos fuertes. Esos establecimientos, por encontrarse en medio de los indios araucanos, debieron ser defendidos heroicamente. La vida fue un continuo guerrear, sin que jamás pudiesen cosecharse los frutos de la paz.

El empeño de los conquistadores por mantenerse en la Araucanía se debió a los lavaderos de oro existentes en la región, con cuya producción fue posible financiar la conquista. También eran buenos atractivos la fertilidad de la tierra y la crecida población autóctona, que podía ser destinada al trabajo de las encomiendas.

Doce años después de iniciada la conquista estalló una formidable rebelión de los indios araucanos, que no soportaban el dominio de los extraños.

Las fuerzas araucanas fueron aconsejadas y guiadas por un indio joven llamado Lautaro, que había servido a Valdivia y conocía perfectamente las costumbres guerreras de los invasores. Lautaro empleó las mismas tácticas de los nativos de la región central y contando con grandes masas de guerreros obtuvo importantes victorias.

Obtuvo un triunfo decisivo al derrotar a Valdivia en Tucupel (1553). El capitán cayó prisionero y encontró una muerte horrorosa en manos de los naturales.

Retrato de Valdivia

Era Valdivia, cuando murió, de edad de cincuenta y seis años, natural de un lugar de Extremadura pequeño, llamado Castuera, hombre de buena estatura, de rostro alegre, la cabeza grande conforme al cuerpo, que se había hecho gordo, espaldudo, ancho de pecho, hombre de buen entendimiento, aunque de palabras no bien limadas, liberal, y hacía mercedes graciosamente. Después que fue señor recibía gran contento en dar lo que tenía: era generoso en todas sus cosas, amigo de andar bien vestido y lustroso, y de los hombres que lo andaban, y de comer y beber bien: afable y humano con todos; mas tenía dos cosas con que oscureció todas estas virtudes, que aborrecía a los hombres nobles, y de ordinario estaba amancebado con una mujer española, a la cual fue dado.

Crónica de Alonso de Góngora Marmolejo.

Esta victoria envalentonó a los rebeldes. Durante varios años los españoles debieron luchar desesperadamente; la ciudad de Concepción fue abandonada y el peligro llegó incluso a amenazar a Santiago.

Finalmente, Lautaro fue traicionado por algunos de los indios y cayó combatiendo en Mataquito en un ataque sorpresivo de los españoles.

EXPEDICIÓN DE HURTADO DE MENDOZA

Un nuevo capitán, muy joven, fue designado gobernador de Chile. Era don García Hurtado de Mendoza, descendiente de una familia de la más alta nobleza.

Hurtado de Mendoza reconstruyó Concepción y luego penetró en la Araucanía con el propósito de aplastar la rebelión. En su marcha socorrió a las diversas ciudades, fundó Osorno y adelantó la exploración hasta el seno de Reloncaví.

ERCILLA, EL POETA GUERRERO

En la expedición de Hurtado de Mendoza vino don Alonso de Ercilla y Zúñiga, miembro de una familia de buen linaje.

Durante su infancia había sido paje del príncipe heredero, que luego reinó en España con el nombre de Felipe II. Desde entonces Ercilla guardó el cariño y el respeto más profundo por el monarca.

Maravillado con las noticias de América y en especial por la increíble resistencia de los araucanos, Ercilla determinó pasar a Chile.

Junto con Hurtado de Mendoza recorrió la Araucanía y se encontró en numerosos combates. El valor desplegado por sus compatriotas y por los indígenas atrajo su atención, y concibió la idea de escribir un poema épico que refiriese la lucha de ambos pueblos.

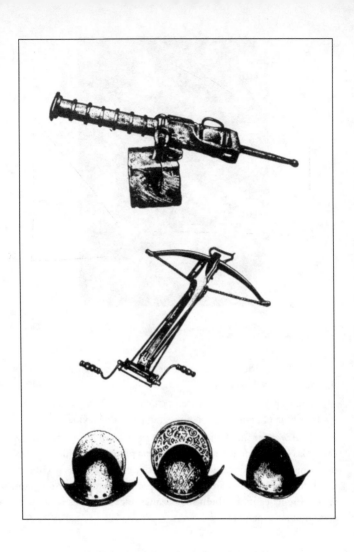

Armas usadas en la Conquista.
Falconete, ballesta y morriones.

Alonso de Ercilla.

Ese fue el origen de *La Araucana*, comenzada a escribir en los mismos lugares de la gesta.

Ercilla permaneció corto tiempo en Chile. De regreso en España, prosiguió el poema, que ocupó gran parte de su vida.

La Araucana fue dedicada a Felipe II y su objeto principal fue cantar las hazañas de los españoles en esta parte del mundo. En esos momentos España era la nación más poderosa y sus armas se cubrían de gloria. Sin embargo, impresionado por la resistencia de los araucanos, Ercilla cantó también sus hazañas, elevándolos a igual categoría que los españoles.

PROLONGACIÓN Y FIN DE LA CONQUISTA

La lucha de los conquistadores contra los araucanos se prolongó por mucho tiempo. En vano los españoles pretendieron permanecer en aquel territorio.

Desengaño al fin del poema y de la vida

Y pues del fin y término postrero
no puede andar muy lejos ya mi nave
y el temido y dudoso paradero
el más sabio piloto no lo sabe;
considerando el corto plazo quiero
acabar de vivir, antes que acabe
el curso incierto de la incierta vida
tantos años errada y distraída

Que aunque esto haya tardado de mi parte
y reducirme a lo postrero aguarde,
sé bien que en todo tiempo y toda parte
para volverse a Dios jamás es tarde,
que nunca su clemencia usó de arte;
y así el gran pecador no se acobarde,
pues tiene un Dios tan bueno, cuyo oficio
es olvidar la ofensa y no el servicio.

Y yo que tan sin rienda al mundo he dado
el tiempo de mi vida más florido,
y siempre por camino despeñado
mis vanas esperanzas he seguido,
visto ya el poco fruto que he sacado
y lo mucho que a Dios tengo ofendido,
conociendo mi error, de aquí adelante
será razón que llore y que no cante.

Alonso de Ercilla,
La Araucana.

El gobernador Oñez de Loyola luchando con el cacique Anganamón.

Los choques armados se sucedían cada año y hubo algunos levantamientos generales. El sistema militar de los conquistadores no estaba bien organizado. Carecían de un ejército permanente y la lucha era mantenida mediante la obligación de los vecinos de defender su ciudad. Los gobernadores contaban sólo con esas fuerzas y los soldados que malamente podían reclutar. Los socorros de armas y pertrechos que les llegaban del Perú eran también insuficientes.

Al finalizar el siglo XVI la situación era deplorable: los lavaderos de oro habían decaído, reinaba la pobreza y la desmoralización ante la imposibilidad de someter realmente a los araucanos. En esas circunstancias, estalló una rebelión que comenzó con la muerte del gobernador Martín García Oñez de Loyola y un destacamento en la sorpresa de *Curalaba* (1598).

Ensoberbecidos con aquel triunfo, los diversos caciques reunieron a sus hombres y sitiaron las ciudades situadas al sur del Biobío. La resistencia de los españoles fue heroica, sin que les arredrasen el hambre ni otras penurias. Finalmente, todos los defensores, mujeres y niños, sucumbieron o fueron hechos prisioneros, cayendo Angol, Imperial, Villarrica, Valdivia y Osorno.

La desaparición de esas ciudades marca el fin de la Conquista.

LA COLONIA
1601-1810

El Estado

EL REY Y SUS FUNCIONARIOS

La organización del imperio español comenzaba en la persona del monarca, que gozaba de un poder absoluto. Su voluntad regía, en último término, en todas las materias de gobierno.

El rey dictaba las leyes generales y las órdenes sobre materias específicas mediante *reales cédulas*. Debido al centralismo de la administración, todo asunto de alguna importancia tenía que ser resuelto en la corte.

A causa de la infinidad de cuestiones que era necesario resolver, el rey se hacía asesorar por un organismo muy importante, el *Consejo de Indias*, que entendía en todos los asuntos de América. Para resolver las materias relacionadas con el comercio entre España y sus colonias y controlarlo, existía la *Casa de Contratación*.

Para el gobierno de América, el soberano designaba *virreyes y gobernadores* que como representantes suyos también tenían gran poder.

En Chile había un gobernador que dependía directamente del rey, aunque en los asuntos más graves y urgentes quedaba sujeto a la autoridad del virrey del Perú.

Los reyes de España, no obstante su poder omnímodo, ejercieron el mando en forma suave. Según las ideas de la época, el monarca era esencialmente justo y bondadoso y, aunque gobernaba a su voluntad, debería rendir cuenta de sus actos ante Dios.

El virrey, el gobernador y los más altos funcionarios, al terminar el desempeño de sus cargos tenían que someterse a un juicio y responder de las acusaciones que un juez, a nombre del rey, o cualquier particular, presentasen en su contra. Así se pretendía evitar los abusos de las autoridades; aunque el método dio escaso resultado.

El amplio poder del rey no significaba que los súbditos no tuviesen derechos ni tampoco que no hiciesen pesar sus intereses. Generalmente, los asuntos de América eran resueltos previa consulta al gobernador y el cabildo respectivo, y los súbditos tenían oportunidad de manifestar su parecer y solicitar la solución que les pareciere oportuna.

En ciertas ocasiones, el cabildo u otras autoridades dejaban sin cumplir las órdenes del monarca, mientras se informaba a éste para que resolviese con mayores antecedentes.

LA JUSTICIA

Esta rama, igual que todas las funciones públicas, era una emanación de la autoridad del rey y por eso era designada como la *justicia real*.

Todos los súbditos podían defender sus derechos recurriendo a la justicia, que estaba rodeada de un poder y de un prestigio especial.

Había diversos tipos de *jueces* que sentenciaban en primera instancia. De sus fallos se podía apelar ante la *Real Audiencia* de Santiago.

La Real Audiencia era el tribunal superior establecido en cada colonia. Estaba compuesta de cuatro *oidores* y era presidida por el gobernador.

Los oidores eran magistrados de gran jerarquía que gozaban del respeto de todos. La Corona procuraba que ejerciesen sus funciones con *independencia* y libres de presiones. Incluso les estaba prohibido contraer matrimonio o mezclarse en negocios privados en el lugar donde cumplían sus funciones.

La Audiencia estaba encargada de velar por el cumplimiento de la ley, vigilaba a las demás autoridades, y cuando un asunto de

Tribunal de la Real Audiencia.

gran trascendencia afectaba a la colonia, tomaba *resoluciones guberna-tivas* junto con el gobernador.

Los fallos de la Audiencia eran emitidos a nombre del rey. Para este efecto disponía del *sello real*.

De las sentencias de la Audiencia se podía apelar, en casos muy importantes, ante el Consejo de Indias, que resolvía en última instancia.

Los españoles y sus descendientes criollos conformaban el alto grupo social (dibujo de la crónica peruana de Guamán Poma de Ayala, siglo XVI).

*Funcionario
de la época
colonial.*

EL CABILDO

Era una de las instituciones más complejas e interesantes.

Estaba compuesto de *dos alcaldes* y un número variable de *regidores*, generalmente seis. Estos últimos eran los encargados de las funciones municipales.

Como organismo de gobierno municipal, al cabildo le correspondía una jurisdicción que comprendía la *ciudad* y su vasto *territorio*.

En sus decisiones se guiaba por la idea del *bien común*, según el cual el interés del individuo y de los grupos quedaba subordinado al interés general. Debía considerarse, antes que nada, lo que convenía a todos.

Siendo una institución que *representaba a la comunidad*, se preocupaba de todo lo que pudiese interesarle o afectarle. En la ciudad velaba por la mantención de las calles, acequias y tajamares, el aseo y el ornato, la educación básica y las fiestas públicas. Dentro de su territorio jurisdiccional, se ocupaba de la construcción y arreglo de los puentes, reglamentaba la explotación del bosque, etcétera.

También, el cabildo procuraba reglamentar la vida económica

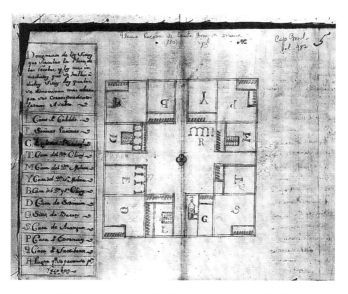

La plaza de Rancagua. E, casa del Cabildo. G, Iglesia parroquial. R, la recova. P, casa de Ejercicios Espirituales.

El cabildo controla el comercio

Habiéndose sabido que se han llevado al puerto de Valparaíso diversas partidas de sebo para embarcar al Perú sin saber si va conforme está ordenado y en la cantidad que a cada uno se repartió, acordaron y mandaron que el procurador general vaya al dicho puerto de Valparaíso y vea con cuidado todas las partidas de sebo que están para llevar o embarcarlo y tome razón de qué personas y las cantidades que hubiere de sebo nuevo y si está libre de la mezcla de grasa y con la limpieza que está capitulado.

Acuerdo del Cabildo de Santiago, 1636.

Serenos o vigilantes nocturnos.

para evitar abusos: fijaba *tarifas* a los artesanos y profesionales, y determinaba el *precio* de los artículos de consumo corriente. Además perseguía a los acaparadores que ocultaban productos alimenticios con el objeto de hacer subir los precios artificialmente.

El primer escalón de la justicia estaba también en manos del cabildo: los dos alcaldes eran *jueces* de primera instancia que se ocupaban generalmente de asuntos corrientes. Estos personajes usaban una larga vara como símbolo de la justicia

Casi no había asunto público que afectase a la comunidad que no cayera de alguna manera en la órbita del cabildo. Para estar adecuadamente informado y responder con presteza a los problemas comunes, el cabildo escuchaba al *procurador de ciudad*, un personaje encargado de hacerle presente cualquier situación que requiriese de una decisión suya.

El cabildo hacía escuchar su voz ante el gobernador y ante el rey, enviando informes y peticiones en defensa de la comunidad que representaba.

Si había algún asunto extremadamente grave, se convocaba a un *cabildo abierto*, al cual concurrían los principales vecinos para tomar acuerdos en conjunto, que luego se comunicaban a las autoridades superiores, que resolverían en definitiva.

Vida cotidiana en una ciudad chilena durante la época colonial, según dibujo de Pedro Subercaseaux.

La Guerra de Arauco

LA LÍNEA DE FRONTERA Y EL EJÉRCITO PROFESIONAL

El fracaso en la guerra durante el siglo anterior obligó en los primeros años del siglo XVII a establecer una línea fronteriza en el río Biobío. En adelante, los indios permanecerían libres y los españoles no intentarían penetrar más allá de la frontera. Ésta podría avanzar según las circunstancias.

La nueva estrategia fue puesta en práctica por el gobernador Alonso de Ribera, experimentado militar que había alcanzado prestigio en las guerras de Flandes.

Ribera logró, además, que la Corona crease en Chile una agrupación armada profesional que con el tiempo se hizo permanente. Para ello fue necesario asignar cada año una elevada suma de dinero, el *real situado*, que se enviaba desde el Perú y llegaba principalmente en pertrechos.

Gracias a esas innovaciones se contó con una fuerza más eficaz que garantizó la mantención de la línea fronteriza. La guerra determinó que siguiesen viniendo a Chile destacamentos militares formados de aventureros y mestizos pobres de muy baja categoría moral, en gran parte delincuentes dispuestos a ganarse la vida de cualquier modo. Los mejores soldados eran los mestizos chilenos por ser muy sufridos y conocer el ambiente de la lucha.

El dinero enviado desde el Perú para mantener al Ejército era un estímulo para la economía chilena, ya que se adquirían alimentos, animales y toda clase de recursos para la guerra.

LAS FORMAS DE LUCHA

La existencia de la frontera no puso término a la guerra.

A través de ella solían estallar las acciones violentas de uno y otro bando.

Destacamentos del ejército penetraban en la Araucanía con el fin de tomar indios prisioneros, que eran vendidos como esclavos a

El malón, una forma de lucha y pillaje.

los estancieros de más al norte. Estas acciones eran llamadas *malocas*. Los oficiales y los soldados hacían verdaderos negocios vendiendo *indios esclavos*. El interés por aprisionar a los indígenas explica en gran parte la continuación de la guerra.

Los indios, por su parte, atacaban los puntos fronterizos para vengar agravios o robar ganado y otras especies. Ellos mismos llamaban *malones* a estos asaltos.

De esta manera la lucha se prolongó en pequeños encuentros que se reactivaban cada año durante la primavera y el verano. Durante el invierno cesaban las hostilidades.

Las únicas grandes rebeliones fueron la de comienzos del siglo XVII iniciada con el desastre de Curalaba y la de 1654, motivada por la imprudencia de los jefes militares y la codicia de tomar indios esclavos en forma exagerada.

Después de esta última rebelión, la lucha decayó absolutamente. Las acciones armadas fueron de poco alcance y se distanciaron mucho en el tiempo. Pasaban varias décadas sin ningún choque y la frontera nunca volvió a ser amagada seriamente. Puede afirmarse que la guerra de Arauco prácticamente desaparece a mediados del siglo XVII.

Convivencia en la Araucanía

RELACIONES FRONTERIZAS

En el territorio de la Araucanía no sólo hubo guerra, sino que desde un comienzo se iniciaron contactos pacíficos que con el tiempo predominaron ampliamente, hasta convertirse en un sistema de relaciones.

Surgió un comercio muy activo, en que los españoles y chilenos cambiaban a los indios géneros, cintas, cuchillos, armas y vino por ganado vacuno, alimentos y ponchos. El contacto significó, además, la formación de grupos mestizos. Muchas mujeres y niños blancos fueron robados por los naturales en sus incursiones o al caer las ciudades del sur. Algunos renegados vivían entre los nativos completamente entregados a las costumbres de éstos, generándose un sector mezclado que con mayor o menor intensidad, según el lugar, afectó a toda la población araucana y huilliche.

La crónica de Nuñez de Pineda. Episodio en que el autor cae prisionero de los araucanos.

Encuentro de mestizos e indios frente al fuerte de Arauco. La convivencia llegó a ser la forma predominante de las relaciones fronterizas.

Los indígenas no tuvieron unidad para enfrentar a los invasores. Algunas reducciones se mantenían rebeldes, mientras otras colaboraban con el Ejército. Era el resultado de antiguas luchas entre los nativos y de intereses que les llevaban a aliarse con las fuerzas hispanochilenas.

Algunas reducciones se convirtieron en aliados permanentes y vivieron cerca de los fuertes. Fueron los *indios amigos* que formando contingentes mayores que los destacamentos del Ejército, los acompañaban a la lucha, prestando una ayuda decisiva. También efectuaban trabajos en los fuertes y los aprovisionaban de víveres. Sin su ayuda no se habrían podido mantener las operaciones militares.

La existencia fronteriza estuvo marcada por rasgos de heroísmo y también por el relajamiento y la picardía, en que se cruzaban toda clase de intereses y abusos. La soldadesca llevaba una vida de ocio e indisciplina, los jefes participaban en negocios oscuros en torno a la esclavitud y el aprovisionamiento del Ejército. Varios gobernadores profitaron también de esos negocios. Toda clase de mercachifles y aventureros pululaban en los puestos militares, las misiones y las parcialidades indígenas.

Los nativos, por su parte, concurrían a los fuertes y las estancias con ánimo de robar, comerciar o sacar algún provecho.

No obstante que la guerra dejó de tener significado, hubo variados intereses para abultar su importancia, creando una imagen de dura lucha, hasta formar un *mito*. La planta del Ejército permitía ganarse la vida a mucha gente, se exaltaban los propios méritos para alcanzar recompensas; el reparto de las mercaderías del real situado daba lugar a negocios deshonestos; el aprovisionamiento de las tropas interesaba a comerciantes y hacendados.

La guerra fue un negocio y una feria con muchas ramificaciones.

LOS PARLAMENTOS

Con el propósito de mantener tranquilos a los araucanos y concertar condiciones de paz, los gobernadores celebraban con ellos grandes reuniones. El primero fue dispuesto en 1641 en Quillín por el marqués de Baides.

Los gobernadores eran acompañados por otras autoridades y contingentes de tropas. Los caciques acudían con sus hombres, aun desde puntos lejanos. Durante varios días el jefe español conversaba con los caciques y se llegaba a algún acuerdo. Luego seguían demostraciones de poder bélico de ambas partes y todo concluía con largas comilonas, borracheras y la alegría general.

Tales reuniones no siempre producían los efectos esperados; sin embargo, correspondían a una necesidad del contacto fronterizo.

LAS MISIONES

Tanto la Corona española como la Iglesia se preocuparon de difundir el cristianismo entre los indígenas. Con ese objeto se establecieron misiones en el territorio araucano. En ellas se procuraba enseñar los principios del cristianismo y realizar una tarea civilizadora. En algunas localidades los naturales aceptaban a los padres misioneros.

Sin embargo, los resultados fueron muy modestos. Los indios continuaban en sus costumbres y sus viejas creencias.

Fechorías de los soldados

Tienen tanta licencia que se entran en las casas que les parece de noche a robar lo que topan, y ha acontecido maltratar a los dueños que defendían sus casas y haber atravesado con la espada a uno de ellos, de más de llevarse las sábanas de la cama y otras cosas. Las mujeres no andan seguras por las calles y en los arrabales ha amanecido alguna muerta a puñaladas. Los caminos reales no están seguros, pues a los indios y criados que andan solos, los desnudan y quitan las mantas y lo que llevan. Los soldados que el Gobernador [Francisco de Meneses] trajo consigo, tan disolutos están que no se ocupan de otra cosa que en robar las casas de noche, de forzar las mujeres que encuentran, perder el respeto a las justicias y otras maldades públicas.

Relación anónima, c., 1664.

Economía y sociedad

EL MONOPOLIO COMERCIAL

El imperio español, igual que todos los imperios coloniales, descansaba sobre la dependencia económica de los dominios respecto de la metrópoli.

Las colonias sólo podían comerciar con España. Las demás naciones quedaban totalmente excluidas. El cumplimiento de esta política se realizaba mediante un sistema comercial centralizado y controlado.

La institución encargada de reglamentar y vigilar el comercio era la Casa de Contratación, según se vio anteriormente. Para transportar las mercaderías a América se equipaban anualmente *flotas y galeones*. Una de esas flotas iba a México y otra a Panamá. Esta última conducía los cargamentos destinados a Sudamérica.

Los comerciantes de Perú se dirigían en sus naves a Panamá y allí adquirían de los comerciantes españoles las mercancías que necesitaban. Parte de éstas eran remitidas a Chile a cambio de los productos locales. En suma, el Perú era el intermedio del comercio chileno.

El tráfico se basaba en el siguiente intercambio:

Chile al Perú: Cuero, sebo, charqui, trigo, maderas, vino y frutas secas. Oro y plata.

Perú a Chile: Géneros finos, vajilla, muebles, papel, hierro, armas y toda clase de productos europeos manufacturados. Azúcar, cacao y tabaco.

AGRICULTURA Y GANADERÍA

La economía chilena descansaba fundamentalmente en la producción agrícola y ganadera.

La cantidad de tierras disponibles y el trabajo obligado de los indios de encomienda permitían una fácil y barata explotación del campo.

En los primeros tiempos la agricultura se desarrolló escasamente, porque la población era muy reducida; pero con el paso del tiempo fue necesario abastecer de *trigo* al Perú y la exportación del grano adquirió mucha importancia.

Los ganados traídos por los españoles, especialmente el *vacuno*, el *ovejuno* y el *caballar*, se multiplicaron extraordinariamente.

El cuero tenía infinidad de usos en el calzado, las monturas y bridas, las valijas, etc. El sebo servía para la fabricación de velas y jabón. El charqui era consumido por la población más modesta. Con la lana de las ovejas se elaboraban frazadas, ponchos y géneros muy ordinarios.

La vida y las actividades del campo se realizaban en la *hacienda*. Éstas eran latifundios de grandes dimensiones que utilizaban el trabajo de los indios y el de los mestizos. La gran fertilidad del suelo y la escasa demanda de productos alimenticios hacían innecesarios los trabajos intensos. El suelo era arado superficialmente; las acequias regaban cortas extensiones de tierras; no se usaban abonos, etcétera.

Campesinos empleando arados de madera. La vida y las faenas rurales se desenvolvían pobremente.

Molino de trigo movido por agua.

La ganadería se desarrollaba a campo abierto. Los animales vagaban por cerros y quebradas, y esto obligaba una vez al año a efectuar el *rodeo* para conducirlos a los corrales de la hacienda. De allí derivó la fiesta del rodeo.

LA ARISTOCRACIA

Desde los años de la Conquista comenzó a formarse en el país un grupo aristocrático dueño del poder y la riqueza.

Los conquistadores y sus descendientes se apropiaron de las *tierras* y tuvieron el usufructo de las *encomiendas*, que les permitían trabajar los *lavaderos de oro* y el campo. Con esos medios lograron acumular algunas riquezas que transmitieron a sus herederos.

En el siglo XVII surgieron nuevas familias ligadas al comercio y los cargos públicos y militares, que se unieron a las anteriores.

Los *españoles* predominaron en los primeros tiempos; pero luego los *criollos*, que eran sus descendientes, adquirieron importancia: las tierras, las casas y las encomiendas pasaron a sus manos. Los españoles quedaron más ligados a los cargos oficiales y al comercio.

Una tertulia en la época de la Independencia.

El grupo aristocrático poseía, además, la alta cultura y estaba ligado a la Iglesia y al Ejército.

Dentro de una sociedad con profundas diferencias y altamente jerarquizada, la aristocracia ejercía una *influencia absoluta* sobre los otros sectores.

Su órgano representativo era el cabildo, cuyos cargos detentaba, y a través del cual hacía oír su voz y defendía sus intereses.

Corpus Cristi en Santiago

Concurren todas las religiones [órdenes] y cofradías, con la solemnidad que se usa en otras partes, y todos los oficios mecánicos con sus estandartes y pendones, de manera que viene a coger muy grande trecho. Después de la procesión de la Catedral, se sigue la de las religiones y monasterios de monjas, con que vienen a durar todas más de un mes, procurando cada cual que salga mejor la suya, con mayor ostentación de cera y adorno de andas y altares, los cuales suelen hacerlos muy ricos y vistosos, de curiosas tramoyas y artificios. A todas estas procesiones acuden los indios de la comarca que están en las chacras (que son como aldeas, a una y dos leguas de la ciudad), y trae cada parcialidad su pendón, para el cual eligen algunos días antes al alférez, y éste tiene obligación de hacer fiesta el día de la procesión, a los demás de su aillo [grupo]. Es tan grande el número de esta gente y tal el ruido que hacen con sus plantas y con la vocería de sus cantos, que es menester echarlos todos por delante, para que se pueda lograr la música de los eclesiásticos y cantores, y podernos entender para el gobierno de la procesión.

Crónica de Alonso de Ovalle.

INDIOS, MESTIZOS Y NEGROS

Una vez que se estableció la dominación española, la población aborigen comenzó a disminuir notoriamente.

Restos de una casa de familia acomodada.

Las causas de la reducción fueron diversas. Algunas *enfermedades* traídas por los conquistadores asolaron a los pueblos indígenas. *La dureza del trabajo* impuesto por los españoles y el abuso del *vino* y el *aguardiente*, que hizo más frecuente la embriaguez, acortaron la vida de los naturales. La guerra y la desintegración de las familias y comunidades también fueron responsables de la disminución.

Solamente los indios libres situados al sur del Biobío conservaron una población más o menos numerosa.

Al norte de aquel río, los indios debieron convivir con los dominadores y aceptar todas sus imposiciones. Pronto adquirieron también los elementos básicos de su cultura, como el *idioma castellano* y la religión. También adoptaron los bienes materiales de los españoles.

Algunos grupos conservaron sus pueblos y tierras, pero con el correr del tiempo fueron despojados.

La Corona y la Iglesia desplegaron un gran esfuerzo para proteger a los indios contra los abusos de los encomenderos. Infinidad de reales cédulas fueron extendidas con ese objeto y muchos sacerdotes y autoridades libraron campañas en su favor. El rey estableció incluso el cargo de *protector de naturales* de Chile con la misión principal de vigilar el cumplimiento de las leyes protectoras.

Sin embargo, todas esas medidas fueron inútiles.

Al mismo tiempo que disminuyó la población indígena, aumentó la mestiza, que era el resultado de la mezcla de los españoles con los nativos.

El *mestizo* apareció desde tempranos tiempos. Los conquistadores se unieron con las indias y posteriormente también sus descendientes, dando lugar a una masa mestiza que creció en forma incesante.

Los mestizos vivían principalmente en el campo: eran los *peones* de las haciendas, y también trabajaban en las minas. Las escasas faenas productivas no les ofrecían, sin embargo, muchas posibilidades de trabajo. Llevaban una existencia muy pobre; el ocio y los vicios caracterizaban su modo de vida.

El mestizaje fue tan extendido que abarcó, en diferentes grados, a toda la población chilena, incluidos sectores medios y altos.

En Chile hubo también *esclavitud negra*, aunque no tuvo la importancia que en otras colonias.

El precio de los negros era muy elevado y su transporte, además de demoroso, estaba lleno de peligros. En Chile no había una producción de alto valor, como ocurría en las plantaciones tropicales, que pudiese financiar una mano de obra cara. Por lo demás, el número de indios y mestizos bastaba para los trabajos de la época.

Generalmente, los negros eran empleados en la servidumbre doméstica o como capataces de confianza. Por esta razón, el trato que se les daba era benigno.

Elogio del mestizo

Los mestizos están bien hechos, de estatura regular, blancos por lo común como los españoles, de modo que si no fuese el pelo, que en ellos es liso, grueso y negro, aun después de varias generaciones no se distinguirían de un puro español. Tampoco sacan de la madre, por lo ordinario, lo ancho de espalda y pecho de la nación araucana, como ni el ser lampiños, porque ellos son bien poblados de barba. En lo demás de su cuerpo se arriman más a la nación araucana que a la española, pues son de membradura más recia y fuerte que el común de los puros españoles. De aquí es que ellos sean de mayores fuerzas y que tengan mayor resistencia en las duras fatigas de la campaña y que las intemperies de las estaciones rígidas hagan en ellos menor impresión.

Cuanto a las dotes del ánimo, se dicen en una sola palabra, y es, que ellos sacan todo lo bueno de ambas naciones. Son obsequiosos; son generosos, fieles, constantes, intrépidos, amorosos, afables, cordialísimos y de bellos ingenios. Quieren ser gobernados por las buenas, y el mal trato los hace indómitos. Su inclinación es por la nación española, y es injuriarlos tratarlos por lo que son, ésto es, mestizos.

Crónica de Felipe Gómez de Vidaurre.

Territorio y amenaza externa

La jurisdicción de la gobernación de Chile se constituyó en forma progresiva por las disposiciones de la Corona española. Comenzaba por el norte en el "despoblado" de Atacama e incluía, en la costa, por lo menos hasta cerro Moreno, próximo a la actual ciudad de Antofagasta.

Por el este pasaba más allá de la cordillera de los Andes, en una extensión de cien leguas medidas desde la costa. Comprendía, por lo tanto, la región de Cuyo e íntegramente la Patagonia. Alcanzaba hasta el estrecho de Magallanes por el sur, según los títulos extendidos a los gobernadores, que además vigilaban el sur del estrecho.

Durante algún tiempo, el enclave fortificado de Valdivia y la isla de Chiloé pertenecieron al virreinato del Perú.

En el siglo XVIII, la provincia de Cuyo fue separada para integrar el virreinato de Buenos Aires.

PIRATAS Y CORSARIOS

Las guerras entre las naciones europeas y los odios entre ellas, dieron origen a las incursiones de piratas o bandidos del mar, y de corsarios, que con autorización de sus gobiernos atacaban a los barcos y puertos enemigos.

Aún no terminaba la conquista de Chile cuando se hicieron presentes Francis Drake y otros marinos ingleses que cometieron algunas fechorías.

En el siglo XVII fueron importantes los corsarios de Holanda, nación que había luchado contra España por su independencia. Venían en flotillas de varios barcos bien apertrechados, que cruzaban el estrecho de Magallanes, para apoderarse de tesoros e intentar colonizar en algún lugar.

Baltasar de Cordes asaltó el puerto de Castro, en Chiloé, y se fortificó allí, pero fue desalojado por una fuerza terrestre.

Otra expedición, capitaneada por Jacobo Lemaire, en lugar de entrar al estrecho de Magallanes, que se creía era el único paso del Atlántico al Pacífico, navegó más al sur y descubrió el cabo de Hornos. Desde entonces quedó abierta una ruta que a pesar de las terribles tormentas era más segura que el estrecho y pudo ser navegada por todas las naciones.

A mediados del siglo, una expedición echó anclas en la boca del río Valdivia con el intento de colonizar donde había estado la ciudad del mismo nombre. Pero la falta de recursos obligó a los holandeses a abandonar el lugar. A raíz de este hecho, el virrey del Perú, marqués de Mancera, ordenó levantar fortalezas a ambos alados de la desembocadura del río.

También hubo piratas del Caribe, que cruzaron el istmo de Panamá, se apoderaron de barcos y rondaron por la costa del Perú y Chile. Uno de ellos fue Bartolomé Sharp, que destruyó La Serena.

Barcos piratas combaten en las costas del océano Pacífico.

Cultura

LA ENSEÑANZA

La enseñanza de las primeras letras fue establecida desde los años de la Conquista.

Los conventos y también algunos maestros particulares abrieron escuelas que llevaron una existencia precaria. A las órdenes religiosas se debió también la creación de establecimientos de nivel medio. El más famoso fue el *Convictorio de San Francisco Javier*, regentado por los jesuitas. Cuando éstos fueron expulsados de los dominios del rey de España, en el siglo XVIII, por cuenta de la Corona se abrió el *Convictorio Carolino*.

Los estudios de mayor categoría eran los que conducían al sacerdocio. Los dominicos y los jesuitas llegaron a establecer estudios superiores de teología en las llamadas *universidades pontificias* en sus respectivos conventos de la capital.

La Iglesia desempeñaba un papel importantísimo en la cultura de la época: en sus manos estaba la enseñanza, y los sacerdotes eran las personas más cultas.

Esta situación cambió en el último siglo colonial, cuando la apertura de la *Real Universidad de San Felipe* dio acceso a los estudios superiores a jóvenes que no esperaban seguir el sacerdocio. Los estudios más cotizados eran los de teología y derecho. Se podía alcanzar el más alto grado, el de doctor.

Aunque los estudios en la Universidad de San Felipe no eran muy innovadores, en ellos se formó la generación de brillantes intelectuales que participaron en la Emancipación.

LOS CRONISTAS

Una preocupación intelectual muy importante fue la de escribir crónicas que dejasen el recuerdo de los hechos más trascendentales.

La Conquista y la guerra de Arauco fueron los temas tratados con mayor frecuencia. *La Araucana* misma puede ser considerada como una crónica en verso.

Los cronistas fueron oficiales del Ejército y sacerdotes, que no sólo relataron el pasado, sino también los sucesos de su tiempo. Entre los más importantes figuran los que se mencionan a continuación:

Francisco Núñez de Pineda y Bascuñán, un criollo nacido en Chillán, escribió *Cautiverio feliz*, donde relató su vida entre los araucanos que lo tomaron prisionero en una batalla. Gracias a su obra se conocen detalladamente las costumbres de aquellos indios.

Alonso de Ovalle, sacerdote jesuita nacido en Santiago, es autor de la *Histórica relación del reino de Chile*, trabajo notable por el estilo y la corrección del lenguaje, que le ha situado entre las autoridades del idioma, según reconocimiento de la Real Academia Española de la Lengua.

Ovalle sobresale, además, por el cariño con que describió las cosas de Chile, su naturaleza, sus productos y su gente.

Diego de Rosales fue un jesuita español que residió largamente

El abate don Juan Ignacio Molina, una de las figuras intelectuales más destacadas de la Colonia.

75

en Chile. Se desempeñó como misionero y alcanzó altos cargos en su orden. La *Historia general del reino de Chile*, debida a su pluma, es valiosa como relato de la guerra de Arauco y por la descripción de la sociedad indígena y sus elementos culturales.

En el siglo XVIII se destaca el abate don *Juan Ignacio Molina*, jesuita chileno que exiliado con todos los miembros de su orden, vivió en Bolonia, Italia, gran parte de su vida. Sus dos obras más importantes, la *Historia civil de Chile* y la *Historia natural de Chile*, alcanzaron gran difusión y fueron traducidas a diversos idiomas. La segunda no es una crónica, sino un estudio científico de la naturaleza y las especies del país.

EL ARTE

El arte colonial no tuvo en Chile mucha importancia. En música, pintura y escultura no hubo creadores de gran originalidad. Por lo general, las obras de arte eran recibidas desde España o del Perú y reflejaban las *tendencias artísticas europeas*.

La actividad artística estaba muy ligada a la religión. En pintura y escultura, por ejemplo, los temas y personajes representados suelen estar inspirados en pasajes de la Biblia o corresponden a figuras de *santos*. Las esculturas en madera policromada, muchas de ellas de pequeñas dimensiones, suelen ser muy hermosas.

Una cantidad apreciable de cuadros provino del *Cuzco* y de *Quito*, donde hubo talleres de gran fama. La serie de cuadros de la vida de San Francisco, que se conserva en el convento principal de Santiago, es de notable calidad, sobresaliendo las pinturas de Juan Zapaca Inga, artista peruano muy apreciado.

La tendencia clásica del Renacimiento, que buscaba la perfección de la forma y el equilibrio, dejó luego el paso al llamado *barroco*, que con sus figuras retorcidas y angulosas y su increíble recargo de adornos, marcó su huella artística.

El barroco recibió en América el aporte del gusto indígena y se constituyó así en un *arte mestizo*. Los altares y retablos dejados por esta tendencia sobresalen por su decoración tan frondosa como delicada.

Arte del siglo XVIII: El niño Francisco da alimento a los pobres (detalle),
Museo Colonial de San Francisco.

En las últimas décadas del período colonial se dejó sentir en Chile la *reacción neoclásica* iniciada en Europa, que significó una vuelta a los ideales estéticos del Renacimiento: pureza de las líneas, sencillez y proporciones adecuadas.

El mejor ejemplo de este arte es el palacio de *La Moneda*, construido por el arquitecto romano Joaquín Toesca, que a sus dimensiones grandiosas une la sobriedad y el buen gusto.

El fin de la Colonia

SENTIDO DEL SIGLO XVIII

La última centuria colonial y la década que sigue hasta 1810 corresponden a una *etapa de lenta maduración* en Chile y los demás dominios de España.

En nuestro país, la población creció moderadamente hasta alcanzar unos 800.000 individuos. El comercio se intensificó en forma extraordinaria; aumentó la producción agrícola y volvió a adquirir mucha importancia la minería. La educación y cultura alcanzaron también un mayor desenvolvimiento.

Mujeres chilenas.

Dentro de la sociedad, la aristocracia aumentó su riqueza, su influencia y su cultura.

En la Araucanía, las relaciones pacíficas caracterizaron el trato de los naturales con los españoles y chilenos.

Todos estos cambios dan un aspecto diferente al siglo XVIII, que augura la futura emancipación del país.

TRANSFORMACIÓN DE LA ECONOMÍA

La decadencia de la industria española y de su flota mercante y de guerra, obligó a la Corona a emprender cambios en el sistema comercial, a la vez que se dejaba sentir fuertemente la presión de Gran Bretaña, Francia y luego los Estados Unidos, para participar en el comercio de las colonias.

Para facilitar el tráfico dentro del imperio fueron suprimidas las flotas y galeones y, en cambio, se autorizó la navegación directa entre España y cada colonia en naves aisladas. Por primera vez, Chile pudo comerciar directamente con España, utilizando los *navíos de registro del Cabo de Hornos*, así denominados por la ruta que seguían.

Rincón de Valparaíso (dibujo de María Graham).

También fueron abolidos o reducidos diversos impuestos que pesaban sobre el comercio y la afluencia de mercaderías aumentó espectacularmente, al mismo tiempo que bajaron los precios.

Economía y sociedad rural

Los hacendados, los que poseen bienes, son los brazos poderosos del reino y los que perciben entradas más pingües y seguras. Los ganados, por sí solo, sin auxilio de la industria [trabajo hábil], forman la subsistencia y adelantamiento de estos poseedores. ¿En dónde se ven canales, dehesas, vegas formadas por el brazo industrioso del hombre, pastos de regadío, bosques plantado de árboles útiles a los animales, de que tanto necesitan para evitar las crecidas mortandades que se experimentan continuamente por el retraso de las lluvias? ¿Quién medita en la mejor y más abundante propagación de las diferentes especies de simientes y animales? ¿En el fomento e instrucción de sus propios arrendatarios e inquilinos? ¿Quién tiene con éstos la prolijidad económica sobre el plantío y recogida de pequeños frutos con que sustentarse en las rígidas estaciones, facilitándoles terrenos, semillas, animales, utensilios y la instrucción de que sin contradicción necesitan estos desgraciados semejantes, que nacen y mueren en la miseria e ignorancia, sin conocimiento de la comodidad y siempre dispuestos al robo y al asesinato?

Informe de Anselmo de la Cruz, 1807.

Finalmente, la Corona otorgó franquicias especiales para traficar con el extranjero, llegándose a una *virtual desaparición del monopolio*.

La intensificación del comercio se tradujo en un estímulo para la minería, ya que era necesario pagar con oro y plata la gran cantidad de bienes manufacturados que llegaban desde afuera. Hubo muchos cateadores, mestizos pobres, que se dedicaban a buscar vetas y pequeños empresarios que financiaban los trabajos. Fueron los distritos del norte los que albergaron la actividad minera, que fundamentalmente produjo oro y plata y, en menor cantidad, cobre.

Como consecuencia del aumento de la producción agrícola y minera hubo mayor riqueza pública y privada, que se reflejó en las obras públicas, el establecimiento de nuevas instituciones, la construcción de casas y los gastos de la aristocracia.

LOS GOBERNADORES Y LAS REFORMAS EN CHILE

Los monarcas españoles y sus ministros desarrollaron durante el siglo XVIII una *política de reformas* que tuvo apreciables consecuencias en la metrópoli y todo el imperio. Las medidas tuvieron por objeto principal restablecer la economía española fomentando la agricultura, la industria y el comercio. También se reorganizaron la real hacienda y la estructura del Estado. Esa política llegó a repercutir profundamente en América y correspondió a virreyes y gobernadores llevarla adelante.

El ambiente general estaba lleno de un espíritu innovador y mucha veces fueron criollos de la aristocracia los que propusieron o llevaron a cabo las reformas.

Tajamares del Mapocho.

Las siguientes fueron las materias en que hubo reformas importantes:

a) *Fundación de ciudades*. En muchos lugares de Chile había núcleos de población que se habían formado como consecuencia de los trabajos agrícolas y mineros. Algunos gobernadores decidieron concentrar aquella gente en ciudades, para que pudiesen llevar una vida ordenada bajo la vigilancia de la autoridad.

Dos fueron los gobernadores que sobresalieron en estos esfuerzos: don *Domingo Ortiz de Rosas*, conde de Poblaciones, y don *José Manso de Velasco*, conde de Superunda.

Sobre la base de centros mineros, se fundaron Copiapó, Vallenar, Illapel y San José de Maipo. Centros de la vida agrícola de extensas regiones, fueron Quillota, San Felipe, Rancagua, San Fernando, Curicó, Cauquenes y Linares. El tránsito caminero también fue responsable de la creación de estas últimas ciudades y, además, de Los Andes y Melipilla.

b) *Obras públicas y edificios*. La prosperidad que comenzaba a insinuarse en el país permitió emprender importantes trabajos. Don Ambrosio O'Higgins, el más notable de los gobernadores, que luego

Ambrosio O'Higgins,
barón de Ballenary y
marqués de Osorno.

fue virrey del Perú, fue el que mayor preocupación demostró por las obras públicas.

Para mejorar el tránsito de mercaderías y viajeros se construyó el *camino de Santiago a Valparaíso*, venciendo los cordones montañosos por las cuestas de Lo Prado y Zapata.

En Santiago se construyeron los *tajamares del Mapocho*, para impedir las inundaciones, y el *Puente de Cal y Canto* para unir el centro con el barrio norte.

Entre los edificios cabe señalar *La Moneda*, obra de vastas proporciones que demandó innumerables gastos. En ella se instalaron los talleres para acuñar moneda.

También datan de la época la *Catedral*, debida a los planos de Toesca, igual que La Moneda, y la *iglesia de Santo Domingo*.

c) *Nuevas instituciones*. Paralelamente a los cambios experimentados en el país, el Estado debió adecuar su organización o crear nuevas instituciones.

La *Universidad de San Felipe*, ya aludida, respondió a la necesidad de establecer estudios superiores completos para la juventud chilena.

La *Casa de Moneda* fue fundada para acuñar en el propio país el oro y la plata de sus minas. Con esto se pretendía solucionar la escasez de dinero que se experimentaba, a consecuencia del pago por la importación de mercancías.

El *Tribunal del Consulado* fue creado para agrupar a los comerciantes y administrar justicia mercantil de manera rápida y expedita.

En el orden administrativo, se crearon *dos intendencias*, la de Santiago y la de Concepción, con el fin de atender mejor los asuntos locales.

INFLUENCIA DE LA ILUSTRACIÓN

Se ha dado el nombre de *Ilustración* al movimiento intelectual europeo que invadió la mente de la elite más culta de ese continente. Sus ideas eran eminentemente críticas; mediante el uso de la razón se enjuiciaba todo: las costumbres, la religión, el régimen monárquico de gobierno, los sistemas coloniales, etcétera.

La sociedad y sus hábitos fueron criticados irónicamente por el francés Voltaire en su *Ensayo sobre las costumbres*; este escritor fue, además, enemigo declarado de la Iglesia.

En el pensamiento político, las obras más destacadas fueron *El espíritu de las leyes* de Montesquieu y *El contrato social* de Jean Jacques Rousseau. Ambos autores, al analizar los sistemas políticos, echaron las bases ideológicas de los futuros gobiernos republicanos, democráticos y representativos.

Esas obras y muchas otras, constituyen los fundamentos de la Ilustración.

El pensamiento de la Ilustración llegó a América y Chile a través de diversos conductos. Algunos libros lograron entrar al país, no obstante las prohibiciones impuestas por la Corona. Varios criollos, en sus viajes a España u otros lugares, conocieron las nuevas ideas y luego las difundieron. La acción de los gobernadores y las reformas también contribuyeron a crear un nuevo espíritu.

Hubo dos criollos que sobresalieron por sus ideas "ilustradas": don *José Antonio de Rojas* y don *Manuel de Salas*.

El primero trajo al país diversas obras, como la *Enciclopedia*

Manuel de Salas.

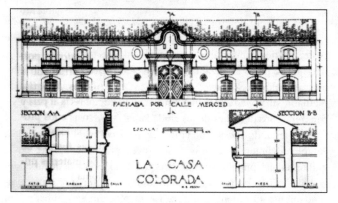

La Casa Colorada, mansión del conde de la Conquista.

dirigida por Diderot y D'Alambert, que resumía los conocimientos de la época con espíritu crítico. También introdujo el *Ensayo filosófico sobre los establecimientos europeos* del abate Raynal, que constituía un duro análisis de la política colonial de las naciones europeas, entre ellas España.

Don Manuel de Salas se caracterizó por su espíritu innovador y las numerosas empresas de bien público que llevó a efecto. Merecen destacarse sus ideas y esfuerzos por buscar nuevas fuentes de riqueza y fomentar la producción agrícola, minera y artesanal. Sus trabajos e informes en el Tribunal del Consulado abrieron nuevas posibilidades; pero fue la creación de la *Academia de San Luis* su tarea más interesante. En ella estableció estudios técnicos para que la juventud pudiera ganarse la vida en los trabajos productivos.

Todas estas novedades revelan que un nuevo espíritu había llegado al país.

LOS GRANDES CAMBIOS POLÍTICOS EN EL MUNDO

En las últimas décadas del siglo XVIII se produjeron algunos sucesos de la mayor importancia, que repercutieron en todas partes e influyeron en las colonias de España.

El primero de esos hechos fue la *Independencia de los Estados Unidos* (1776). Al sacudir la dominación inglesa, las colonias de Norteamérica demostraron a las demás colonias que con voluntad y decisión se podía alcanzar la emancipación, y que era posible, además, establecer el *régimen republicano* y reglar la vida del Estado mediante una *Constitución* que limitase el poder de las autoridades y consagrase los derechos de los ciudadanos.

El segundo suceso fue la *Revolución francesa* iniciada en 1789. Aquel movimiento destronó a los reyes y les dio muerte en la guillotina. El pueblo asumió el poder bajo el lema de libertad, igualdad y fraternidad, y sus caudillos comenzaron a reformar profundamente el orden existente. La revolución, sin embargo, en lugar de alcanzar los ideales que proclamaba desembocó en una sangrienta anarquía.

Tales hechos fueron una manifestación de las ideas que circulaban en Europa y América.

LA ARISTOCRACIA Y LA CONCIENCIA CRIOLLA

En las postrimerías de la Colonia la aristocracia criolla se había convertido en un grupo importantísimo. El desarrollo de la agricultura, de la minería y del comercio, había aumentado su riqueza y su poder. Las familias de fortuna y prosapia más elevada, habían establecido *mayorazgos*, es decir, el derecho del hijo mayor de heredar la parte más valiosa de las propiedades y bienes, También habían obtenido *títulos de nobleza* para realzar aún más su rango social. La enseñanza, las lecturas y los viajes, habían ampliado su *horizonte cultural*. Poseían, además, una clara *conciencia de su valer* y se sentían llamadas a desempeñar un papel determinante en la vida de la Colonia.

Las aspiraciones de la aristocracia se confundían con los intereses del país, al que amaba como algo propio.

En este espacio en que jamás truena, ni graniza, con unas estaciones regladas que rarísima vez se alteran, sembrado de minas de todos los metales conocidos, con salinas abundantes, pastos copiosos, regado de muchos arroyos, manantiales y ríos que a cortas distancias descienden de la cordillera y corren superficialmente, donde hay buenos puertos y fácil pesca; en un terreno capaz de todas las producciones y animales de Europa, de que ninguno ha degenerado y algunos mejorado, donde no se conocen fieras ni insectos, ni reptiles venenosos, ni muchas enfermedades de otros países, y en donde se han olvidado los estragos de la viruela por medio de la inoculación; en este suelo privilegiado, bajo un cielo benigno y limpio, debería haber una numerosa población, un comercio vasto, una floreciente industria, y las artes [técnicas] que son consiguientes.

Informe de Manuel de Salas, 1796.

El *cariño por el suelo natal* era un sentimiento muy arraigado en los criollos. Amaban las cosas típicas y la naturaleza chilena, albergando las mejores esperanzas sobre las posibilidades del país. La fertilidad de la tierra, la abundancia de minerales, la bondad del clima y la riqueza del mar, exaltaban sus *ilusiones*, llegando a concebir un futuro lleno de prosperidad y grandeza.

No comprendían que aquellos eran sueños quiméricos que sólo el transcurso de muchos años podría hacer realidad.

EL DESCONTENTO Y LAS IDEAS REFORMISTAS

Las nuevas ideas y los afanes reformistas de los criollos chocaban, sin embargo, con la realidad y por esta causa se había ido generando un descontento cada vez mayor.

Los aspectos más conflictivos eran los siguientes:

a) *Económicos*. Se deseaba *limitar el comercio exterior*, porque la excesiva entrada de mercaderías había arruinado a muchos comerciantes con el descenso de los precios. Además, se pensaba que la salida del oro y la plata empobrecía al país y que los productos extranjeros hacían competencia a los propios, determinando la decadencia de la artesanía local.

Se deseaba, por otra parte, buscar nuevas fuentes de riqueza, aumentar la producción y elaborar las materias primas. Así se esperaba dar *prosperidad* a la Colonia.

También había quejas contra los *impuestos*, que se estimaban muy pesados.

b) *Cultura*. Los grupos más cultos pensaban que el Estado español no se preocupaba suficientemente de la *educación* y que el tipo de enseñanza era muy anticuado. Por estas razones, fueron los mismos criollos los que trataron de dar un empuje e innovar. La Universidad de San Felipe y la Academia de San Luis se debieron a sus esfuerzos; pero no llenaron completamente sus deseos.

También había quejas por el control sobre la entrada de *libros* considerados peligrosos por la Corona y la Iglesia, especialmente los impresos en naciones extranjeras. El deseo de tener una imprenta en el país nunca pudo realizarse.

c) *Político*. Desde viejos tiempos los criollos se quejaban porque no se reconocían sus méritos y eran postergados en las designaciones para *cargos públicos*, no obstante que muchos de ellos ocupaban puestos en la administración. Sin embargo, los cargos más altos y el de gobernador, recaían por regla general en españoles.

Esta última situación impedía a los criollos participar directamente en el gobierno de su tierra; más aún si se tiene en cuenta que todas las resoluciones de algún peso se tomaban en la corte.

Tales hechos creaban un sentimiento de frustración en la aristocracia, que estimaba que el destino de su tierra natal le pertenecía.

LA INDEPENDENCIA
1810-1823

La Patria Vieja

INVASIÓN DE ESPAÑA

En 1808 Napoleón invadió España para llevar adelante sus planes de hegemonía en Europa. El rey *Fernando VII* y la familia real fueron conducidos prisioneros a Francia y en su lugar el emperador de los franceses puso en el trono a su hermano José Bonaparte.

El pueblo español reaccionó inmediatamente y se aprestó a luchar contra el invasor.

En ausencia del rey legítimo se formó la *Junta Central*, compuesta por personajes destacados que gobernaron en nombre del monarca.

EL PENSAMIENTO POLÍTICO DE LOS CRIOLLOS

En Chile, igual que en toda América, los criollos eran de una *sincera y absoluta fidelidad al rey*. La persona del monarca era objeto de respeto y adoración como cabeza del imperio español, dentro del cual el *reino de Chile* encontraba el sentido de su existencia y de su historia.

Dada esta manera de pensar, el cautiverio de Fernando VII produjo indignación y los chilenos, igual que los españoles, se aprestaron a defender los derechos de él.

El cariño por el monarca no impedía que hubiese quejas contra el régimen. Ya se ha visto que había motivos de descontento y que se deseaba impulsar diversas reformas. Sin embargo, las aspiraciones de los criollos no llevaban el propósito de romper con España, sino que, por el contrario, se pensaba que al rey y sus agentes correspondía resolver los problemas.

En todo caso, la aristocracia criolla deseaba tener una *mayor participación en el gobierno.*

Las personas que pensaban en la independencia del país eran unas cuantas personas, que ni siquiera se atrevían a expresar sus ideas.

La crítica anónima

Nuestras provincias han sido colonias y factorías miserables: se ha dicho que no; pero esta infame cualidad no se borra con bellas palabras, sino con la igualdad perfecta de privilegios, derechos y prerrogativas. Por un procedimiento malvado y de eterna injusticia, el mando, la autoridad, los honores y las rentas han sido el patrimonio de los europeos: los americanos han sido excluidos de los estímulos que excitan a la virtud, condenados al trabajo de las minas, y a vivir como esclavos encorvados bajo el yugo de sus déspotas y gobernadores extraños. La metrópoli ha hecho el comercio de monopolio, y ha prohibido que los extranjeros vengan a vender, o comprar a nuestros puertos, y que nosotros podamos negociar en los suyos, y con esta prohibición de eterna iniquidad y de eterna injusticia nos ha reducido a la más espantosa miseria. La metrópoli manda todos los años bandadas de españoles que vienen a devorar nuestra sustancia, y a tratarnos con una insolencia y una altanería insoportables; bandadas de gobernadores ignorantes, codiciosos, ladrones, injustos, bárbaros, vengativos, que hacen sus depredaciones sin freno y sin temor; porque los recursos [reclamos] son dificultosísimos, pues que los patrocinan sus paisanos; porque el supremo gobierno dista tres mil leguas, y allí tienen sus parientes y protectores que los defienden, y participan de sus robos, y porque ellos son europeos, y nosotros americanos. La metrópoli nos carga diariamente de gabelas, pechos, derechos, contribuciones e imposiciones sin número, que acaban de arruinar nuestras fortunas, y no hay medios ni arbitrios para embarazarlas. La metrópoli quiere que no tengamos manufacturas, ni aun viñas, y que todo se lo compremos a precios exorbitantes y escandalosos que nos arruinan... La metrópoli abandona los pueblos de América a la más espantosa ignorancia, ni cuida de su ilustración, ni de los establecimientos útiles para su prosperidad.

Fragmento del *Catecismo político-cristiano*
de José Amor de la Patria, 1810.

LA PRIMERA JUNTA DE GOBIERNO

Mientras la invasión francesa tendía a consolidarse en España, entre los criollos surgió la idea de formar una junta de gobierno, parecida a la española y que gobernase a nombre del Rey mientras durase su cautiverio.

De esa manera se esperaba *conservar la soberanía de Fernando VII* y, al mismo tiempo, *participar en el gobierno del país y llevar a cabo las innovaciones que deseaban.* En suma, la junta representaba el peso de una tradición y los afanes de reforma.

Los criollos obtuvieron que el gobernador interino don Mateo de Toro Zambrano, conde de la Conquista, chileno de nacimiento, convocase a una reunión de autoridades y vecinos para el *18 de septiembre de 1810.*

Los principales vecinos de Santiago, en su inmensa mayoría originarios del país, se reunieron con el Cabildo y las autoridades en el edificio del Tribunal del Consulado.

Al abrir la reunión, Toro Zambrano manifestó su deseo de alejarse del gobierno, poniendo a disposición de los concurrentes el bastón de mando. A continuación, el procurador de ciudad, don José

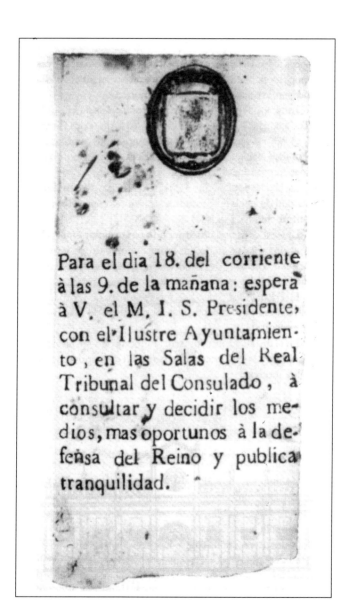

Para el dia 18. del corriente à las 9. de la mañana: espera à V. el M. I. S. Presidente, con el Ilustre Ayuntamiento, en las Salas del Real Tribunal del Consulado, à consultar y decidir los medios, mas oportunos à la defensa del Reino y publica tranquilidad.

Esquela de invitación al Cabildo Abierto de 1810.

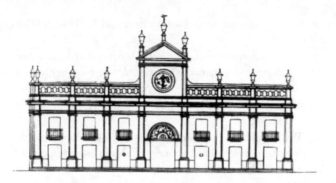

Edificio del Tribunal del Consulado.

Miguel Infante, propuso la formación de una junta de gobierno para conservar el reino al monarca, justificando los motivos que había para tomar esa decisión.

Aprobada la idea por aclamación, se eligió a las siguientes personas:

Presidente, don Mateo de Toro Zambrano.

Vicepresidente, el obispo don José Antonio Martínez de Aldunate.

Vocales, don Juan Martínez de Rozas, don Juan Enrique Rosales, don Ignacio de la Carrera, don Fernando Márquez de la Plata y don Francisco Javier de Reina.

Secretarios, don Gregorio Argomedo y don Gaspar Marín.

En el mismo acto, los miembros de la Junta prestaron juramento y ésta quedó instalada oficialmente.

DIVERSAS MEDIDAS Y REFORMAS

a) *Defensa*. Con el fin de preservar al país de cualquier ataque externo, se procedió a crear nuevas fuerzas de infantería y caballería y al mismo tiempo a reorganizar las milicias.

b) *Libertad de comercio*. No obstante que la idea de ampliar aún más el comercio era tenazmente resistida, la Junta decidió llevar adelante esa reforma, contra la opinión del común de la gente y de los comerciantes, que se opusieron a través del Tribunal del Consulado.

La razones que tenía la Junta eran la necesidad de *aumentar las entradas de aduana*, para poder enfrentar los gastos urgentes que se presentaban. Sólo de esa manera podría atenderse a la defensa, obtener armas desde el extranjero y financiar las reformas que se tenía en mente.

Por un decreto expedido en 1811 se declararon abiertos al tráfico de las naciones amigas y neutrales los puertos de Coquimbo, Valparaíso, Talcahuano y Valdivia.

Con esta medida no se hacía más que completar las reformas comerciales que había estado realizando la Corona.

Convocatoria a un congreso. Esta es la reforma más trascendental llevada a cabo por la Junta, pues significaba reconocer la *soberanía popular* y establecer un *régimen representativo*; la nación tenía derecho a gobernarse y elegir sus autoridades.

La prédica libertaria

De cuanta satisfacción es para un alma forjada en el odio de la tiranía, ver a su patria despertar del sueño profundo y vergonzoso, que parecía ser eterno, y tomar un movimiento grande, e inesperado hacia su libertad, hacia este deseo único y sublime de las almas fuertes, principio de la gloria y dichas de la República, germen de luces de grandes hombres, y de grandes obras, manantial de virtudes sociales, de industria, de fuerza, de riquezas. La libertad elevó en tiempo a tanta gloria, a tanto poder, a tanta prosperidad a la Grecia, a Venecia, a la Holanda; y en nuestros días, en medio de los desastres del género humano, cuando gime el resto del mundo bajo el peso insoportable de los gobiernos despóticos, aparecen los colonos ingleses gozando de la dicha compatible con nuestra debilidad y triste suerte. Estos colonos, o digamos mejor, esta nación grande y admirable [los Estados Unidos] existe para el ejemplo y consolación de todos los pueblos. No es forzoso ser esclavos, pues vive libre una gran nación. La libertad ni corrompe las costumbres, ni trae las desgracias.

Fragmento de la proclama de
Quirinio Lemachez (Camilo Henríquez), 1811.

En el fondo, esto significaba contradecir el poder absoluto del monarca.

Los diputados fueron elegidos por los vecinos más destacados reunidos en asamblea en cada ciudad.

PRIMER CONGRESO NACIONAL

El 4 de julio de 1811 quedó instalado el Congreso mediante una imponente ceremonia.

En el seno del Congreso se manifestaron dos corrientes de opinión: una que obedecía al Dr. Juan Martínez de Rozas, personaje que desde hacía tiempo ejercía una marcada influencia. Este grupo, que tenía entre sus filas a don Bernardo O'Higgins, estaba poseído de un *profundo espíritu renovador* y algunos de sus miembros alentaban secretamente el deseo de independencia, como el mismo O'Higgins.

El segundo grupo, que era el mayoritario, reflejaba mejor la tendencia reinante en el país: deseaba efectuar sólo algunas *reformas moderadas*. Entre ellos había realistas acérrimos.

Entre las principales medidas tomadas por el Congreso, estuvieron las que siguen:

a) *Justicia*. En reemplazo de la Real Audiencia se creó el *Tribunal de Apelaciones* y para terminar con los recursos que se interponían en España ante el Consejo de Indias se estableció el *Tribunal Supremo Judiciario*.

Con esos organismos se lograba que toda la administración de

Primer Congreso Nacional.

justicia quedase radicada en el país y que los magistrados fuesen chilenos.

b) *Abolición de la esclavitud.* Chile fue el tercer país del mundo que tomó esta humanitaria decisión.

Por un decreto de 1811 quedó prohibido internar esclavos y al mismo tiempo se estableció que los hijos de las negras nacerían libres. Con estas disposiciones no desaparecía de inmediato la esclavitud; pero ello debía ocurrir fatalmente con el paso de los años.

GOBIERNO DE CARRERA

Diversas rivalidades habían surgido mientras tanto entre los criollos. El choque de diferentes corrientes de opinión y rivalidades de grupos familiares condujeron al poder a don José Miguel Carrera como presidente de una nueva junta de gobierno.

Fray Camilo Henríquez
(editor de la
"Aurora de Chile")

Carrera era hijo de una de las familias más aristocráticas. Su padre era don Ignacio de la Carrera, que había sido vocal de la Primera Junta; sus hermanos, Juan José, Luis y Javiera fueron sus colaboradores más directos. Se había iniciado en la carrera de las armas en España; pero al tener conocimiento de los sucesos de Chile había regresado, deseoso de tomar parte activa en ellos.

Mediante la presión de las armas, logró ser colocado a la cabeza del gobierno y luego procedió a disolver el Congreso.

Carrera imprimió a los actos de su gobierno un carácter audaz, que estaba destinado a *preparar el camino de la emancipación*. Sus principales medidas fueron las que se indican a continuación:

a) *Aurora de Chile*. Por aquel entonces llegó al país una imprenta adquirida por el ciudadano norteamericano don Mateo Arnaldo Hoevel. El gobierno la compró y puso al frente de ella a fray Camilo Henríquez para que publicara un periódico. Este fue la *Aurora de Chile* que desde su primer número comenzó a difundir ideas nuevas basadas en los filósofos de la Ilustración, especialmente las de Rousseau. Llevado de su entusiasmo, Camilo Henríquez llegó a sugerir desembozadamente que era necesario proclamar la independencia.

AURORA DE CHILE
PERIODICO
MINISTERIAL, Y POLITICO.

No. 1.   *Jurves,* 13 *de Febrero, de* 1812.   Tomo 1:

NOCIONES FUNDAMENTALES SOBRE LOS DERECHOS DE LOS PUEBLOS.

TODOS los hombres nacen con un principio de sociabilidad, que tarde, ó temprano se desenvuelve. La debilidad, y larga duracion de su infancia, la perfectibilidad de su espíritu, el amor maternal, el agradecimiento y la ternura, que de él nacen, la facultad de la palabra, los acontecimientos naturales, que pueden acercar, y reunir de mil modos à los hombres errantes y libres: todo prueba que el hombre está destinado por la naturaleza à la sociedad.

El fuera infeliz en este nuevo estado, si viviese sin reglas, sin sujecion, y sin leyes, que conservasen el órden. ¿Pero quien podia dar, y establecer estas leyes, quando todos eran iguales? Sin duda el cuerpo de los sociales, que formaban un pacto entre si de sujetarse á ciertas reglas establecidas por ellos mismos para conservar la tranquilidad interior, y la permanencia del nuevo cuerpo, que formaban. Asi pues el instinto, y la necesidad, que los conducia al estado social, debia dirigir necesariamente todas las leyes morales, y politicas al resultado del órden, de la seguridad, y de una existencia mas larga y mas feliz para cada uno de los individuos, y para todo el cuerpo social. Todos los hombres, decia Aristoteles, inclinados por su naturaleza à desear su comodidad, solicitaron, en conseqüencia de esta inclinacion, una situacion nueba, un nuebo estado de cosas, que pudiese procurarles los mayores bienes posibles: tal fué el origen de la sociedad.

El órden y libertad no pueden conservarse un gobierno; y por esto la misma esperanza de vivir tranquilos, y dichosos, protegidos de la violencia en lo interior, y de los insultos hostiles, compelió à los hombres ya reunidos à depender, por un consentimiento libre, de una autoridad pública. En virtud de este consentimiento se erigió la *Protestad Suprema,* y su exercicio se confió à uno, ò à muchos individuos del mismo cuerpo social.

En este gran cuerpo hai siempre una fuerza central, constituida por la voluntad de la nacion para conservar la seguridad, la felicidad, y la conservacion de todos, y prevenir los grandes inconvenientes que nacerian de las pasiones; y se observa tambien una fuerza centrífuga, que proviene de los esfuerzos, injusticias, y violencias de los pueblos vecinos, por las quales obran unos sobre otros para extenderse, y agrandarse à costa del mas debil; à menos que cada uno se haga respetar por la fuerza. Por este principio la historia nos presenta à cada paso la esclavitud, los estragos, la atrosidad, la miseria, y el exterminio de la espesie humana. De aqui es que no se encuentra algun pueblo, que no haya sufrido la tirania, la violencia de otro mas fuerte.

Este estado de los pueblos es el origen de la monarquia, por que en la guerra necesitaron de un caudillo, que los conduzese à la victoria. En los antiguos tiempos, dice Aristoteles, el valor, la pericia, y la felicidad en los combates elevaron à los capitanes, por el reconocimiento, y utilidad pública, à la potestad real.

No tuvo otro origen la monarquia española. Los Reyes Godos ¿que fueron en su principio sino Capitanes de un pueblo conquistador? ¿Y de qué le huviera servido al Infante Don Pelayo descender de los Reyes Godos, si los españoles no huviesen conocido en él los talentos, y virtudes necesarias para restaurar la nacion, y reconquitar su libertad?

Establescamos pues como un principio, que la autoridad suprema trahe su origen del libre consentimiento de los pueblos, que podemos llamar pacto, ò alianza social.

En todo pacto intervienen condiciones, y las del pacto social no se distinguen de los fines de la asociacion.

Los contratantes son el pueblo, y la autoridad executiva. En la monarquia son el pueblo, y el rey.

El rey se obliga à garantir y conservar la seguridad, la propiedad, la libertad, y el órden. En esta garantia se comprehenden todos los deberes del monarca.

El pueblo se obliga à la obediencia, y á proporcionar al rey todos los medios necesarios para defenderlo, y conservar el órden interior. Este es el principio de los deberes del pueblo.

El pacto social exige por su naturaleza que se determine el modo con que hade exercerse la autoridad pública: en que casos, y en que tiempos se hade oir al pueblo; quando se le hâde dar cuenta de los

b) *Símbolos nacionales*. Queriendo significar que Chile era una entidad diferente a España, se creó una bandera propia compuesta de tres franjas horizontales, azul, blanca y amarilla. También se creó una escarapela con los mismo colores.

c) *Constitución Provisional de 1812*. Una de las aspiraciones políticas más marcadas de los patriotas era la dictación de una constitución, que consagrase los derechos de las personas y reglase el ejercicio de las autoridades.

Un grupo de personas destacadas elaboró un proyecto de sólo 27 artículos, que recibió públicamente la aprobación de las autoridades y de los vecinos más notorios.

La Constitución reconocía a Fernando VII; pero declaraba que ninguna orden proveniente de fuera del país podría tener efecto. El rey sería un símbolo lejano, sin poder para gobernar.

Se establecían una Junta y un Senado de siete miembros. Además se estipuló la igualdad de las personas y la libertad de imprenta.

COMIENZA LA GUERRA

El virrey del Perú, don Fernando de Abascal, siempre miró con malos ojos el movimiento criollo. Cuando tuvo noticias de las audaces reformas llevadas a cabo, decidió aplastarlo por la armas.

A comienzos de 1813 despachó por mar una expedición, que completó sus cuadros en Chiloé, Valdivia y Concepción.

José Miguel Carrera debió abandonar el gobierno y tomar el mando del Ejército para dirigirse al sur. Las fuerzas virreinales se fortificaron en Chillán, donde fueron sitiadas por los patriotas en pleno invierno y con mal resultado. Carrera levantó el sitio y sus destacamentos fueron atacados en diversos lugares. En uno de esos ataques, en el Roble, efectuado de sorpresa en la noche, el mismo Carrera debió ponerse a salvo arrojándose al río Itata. Afortunadamente, don Bernardo O'Higgins agrupó a sus soldados e hizo frente al enemigo, convirtiendo el desastre en una victoria.

A causa de la mala dirección de la guerra, la Junta de Gobierno que había sucedido a Carrera, decidió destituir a éste del mando del Ejército y en su lugar confiarlo a O'Higgins.

Una nueva expedición realista vino en 1814 a unirse a las fuerzas acantonadas en Chillán.

La primera tarea de O'Higgins fue reunir los destacamentos patriotas. Pudo cortar el paso a Gaínza al norte de Talca, impidiéndole avanzar hacia la capital.

Un intento de poner término a la lucha mediante un tratado no dio resultado y un nuevo jefe español, el brigadier don *Mariano Osorio*, llegó con refuerzos a continuar la guerra.

Desastre de Rancagua. O'Higgins con un grupo de soldados rompe el cerco realista. Concluía la Patria Vieja.

La Plaza de Armas de Santiago. A la izquierda el costado norte con los edificios de la Real Audiencia y el Cabildo.

Carrera se había apoderado nuevamente del gobierno y cuando estaba a punto de estallar un conflicto con O'Higgins, éste se puso bajo sus órdenes al tener noticia de la expedición de Osorio.

Apresuradamente el Ejército se dispuso a defender la capital. O'Higgins debió encerrarse con su división en la ciudad de *Rancagua* en espera de Carrera. Allí fue atacado vigorosamente por el grueso de las tropas de Osorio, sin recibir el menor refuerzo. Después de dos días de lucha agobiante, *1 y 2 de octubre de 1814*, tuvo que abrirse paso a punta de sable con sus mermadas fuerzas.

El desastre de Rancagua puso término al período llamado de la Patria Vieja.

Los jefes patriotas y los restos del ejército cruzaron la cordillera para refugiarse en Mendoza con la esperanza de reiniciar la lucha más adelante.

El Director Supremo don Bernardo O'Higgins firmó el Acta de proclamación de la Independencia y el Manifiesto a las Naciones.

La Reconquista

RESTABLECIMIENTO DEL GOBIERNO ESPAÑOL

El triunfo de los realistas en Chile y, en general, en América, coincidió con el fracaso de Napoleón en Europa y el regreso de Fernando VII al trono de España. El monarca restableció todo su poder y gobernó con extrema dureza, persiguiendo en España y en América a las personas que habían manifestado propósitos reformistas.

La entrada de Osorio en Santiago significó la derogación de todas las medidas tomadas por los patriotas y una vuelta completa al régimen colonial.

Posteriormente asumió el gobernador don *Francisco Casimiro Marcó del Pont*, "individuo cruel y perfumado" al decir de un historiador, que extremó el rigor contra los vencidos.

PERSECUCIONES CONTRA LOS PATRIOTAS

Las familias que habían tenido alguna actuación en los sucesos anteriores, debieron sufrir toda clase de abusos y vejámenes.

En Santiago se encargó al siniestro capitán *Vicente San Bruno* y al regimiento de *Talavera de la Reina* la mantención del orden y la vigilancia sobre los vecinos.

Algunos de los personajes más destacados, incluidos ancianos inocentes, fueron aprisionados y confinados en las *islas de Juan Fernández*, donde tuvieron que soportar una existencia miserable.

Los bienes de todas las personas comprometidas fueron confiscados y además se impusieron contribuciones de guerra a quienes permanecieron en el país.

La represión desatada por los españoles hizo más impopular la causa del Rey. Las personas que aún se mantenían fieles a la Corona o que habían vacilado, ahora se orientaron hacia el lado de los patriotas. La idea de la independencia se afianzaba secretamente en los corazones.

Isla de Juan Fernández. Atlas *de Claudio Gay.*

La Cañada, actual Alameda
(Tornero, Chile Ilustrado*).*

La causa de la libertad también comenzó a ganar a la gente modesta. Los abusos y la prepotencia de los talaveras despertaron el odio en contra de ellos.

Manuel Rodríguez, un joven abogado que había actuado con Carrera, supo ganarse la voluntad del pueblo y difundir en los corrillos el pensamiento patriota. La adopción de disfraces le permitía moverse libremente, aunque era buscado en forma muy activa.

Al mismo tiempo, Rodríguez cruzaba la cordillera para ir a Mendoza y coordinar con los generales San Martín y O'Higgins los planes contra los españoles.

En actos de increíble audacia, Rodríguez, al mando de montoneras, se apoderó momentáneamente de las ciudades de San Fernando y Melipilla, expulsando a las autoridades realistas y alentando a la gente para la lucha.

La Patria Nueva

EL EJÉRCITO LIBERTADOR: CHACABUCO

Los refugiados chilenos habían sido acogidos en Mendoza por el general don José de San Martín con el propósito de preparar una expedición que libertase a Chile.

O'Higgins y sus oficiales cohesionaron al grupo chileno y dedicaron todos sus esfuerzos a la formación del Ejército Libertador, que llegó a contar con alrededor de 4.800 hombres.

A comienzos de 1817, la fuerza expedicionaria, perfectamente equipada, estuvo lista para operar. Pequeños destacamentos cruzaron la cordillera por distintos lugares para desorientar a los realistas, mientras el grueso del Ejército atravesó por los pasos de Uspallata y los Patos y se reunió en el valle de Aconcagua para atacar a los defensores de Santiago.

Casa chilena según el Diario *de Mary Graham.*

*La Batalla de Chacabuco, ganada por O'Higgins,
dio paso a la Patria Nueva.*

La batalla tuvo lugar en *Chacabuco el 12 de febrero de 1817*. O'Higgins, al mando de una división, cargó denodadamente contra los realistas y sin otra ayuda logró una brillante victoria.

Santiago cayó en poder de los patriotas y los realistas huyeron hacia el sur, concentrándose en Talcahuano.

LA VICTORIA FINAL: MAIPO

Refuerzos traídos del Perú por el brigadier Osorio permitieron a los realistas iniciar desde el sur una nueva campaña contra la capital.

En *Cancha Rayada*, en las afueras de Talca, sorprendieron de noche al ejército capitaneado por San Martín y gracias a la resistencia improvisada por O'Higgins algunas fuerzas patriotas pudieron retirarse en orden.

La desesperación cundió en Santiago; pero Manuel Rodríguez reapareció como caudillo popular y al grito de "¡Aún tenemos Patria, ciudadanos!" trató de improvisar la defensa. Sus esfuerzos, sin embargo, fueron perturbadores.

San Martín pudo, finalmente, reunir sus fuerzas dispersas y presentó batalla en los campos de *Maipo el 5 de abril de 1818*. Los patriotas obtuvieron un triunfo completo que selló la libertad de Chile.

Después del triunfo de Chacabuco, O'Higgins fue elegido director supremo por una asamblea de los principales vecinos de la capital.

Ambiente aristocrático distinguido

Visité a doña Mercedes del Solar, cuyo padre don Juan Enrique Rosales, fue uno de los miembros de la Primera Junta de Gobierno revolucionaria de 1810. Es una hermosa y distinguida señora; conoce bastante bien la literatura francesa y habla el francés a la perfección. Me recibió en su dormitorio, que es usado con frecuencia como sala de recepción. Rodeábanla graciosos niños y algunas lindas sobrinas. Tenía junto a ella una pequeña mesa con libros y útiles de costura y delante un gran brasero de plata maciza, artísticamente grabado en realce, dentro de un marco de madera curiosamente labrado, y con tenazas de plata cincelada para atizar los carbones encendidos. El majestuoso lecho francés, el piano abierto, la guitarra, el ostentoso reloj de bronce, las damas, los niños, los libros, los materiales de costura, los jarrones de porcelana llenos de flores, y el rico brasero chileno, del que subía el humo fragante del zahumerio, formaba un conjunto encantador.

Diario de Mary Graham, 1822.

La primera preocupación del gobierno fue la guerra contra los realistas. Una vez que se alcanzó la victoria, O'Higgins y San Martín se dedicaron a preparar la *Expedición Libertadora del Perú*. Los dos generales comprendían que tanto la libertad del Río de la Plata como la de Chile serían ilusorias mientras no se asestase un golpe definitivo al virrey del Lima.

A pesar de las terribles penurias financieras dejadas por la guerra, O'Higgins y su ministro don José Ignacio Zenteno equipa-

*La primera Escuadra Nacional fue esencial para barrer el poder español
en Chile y el Perú. Sus barcos llegaron hasta México.*

ron una poderosa flotilla conocida como la *Primera Escuadra Nacional*. Su mando fue confiado al almirante inglés *Lord Tomás Alejandro Cochrane*, que en un golpe de audacia se apoderó de las fortalezas de Valdivia y luego atacó el puerto del Callao.

En 1820 el ejército comandado por San Martín se embarcó en Valparaíso y, bajo la protección de la escuadra, se dirigió al Perú. La Expedición Libertadora logró desembarcar y apoderarse de Lima, donde fue proclamada la *independencia del Perú*.

En el orden interno, el gobierno de O'Higgins tuvo que enfrentar los siguientes problemas:

a) *Guerra a Muerte*. Los restos de las fuerzas realistas derrotadas en Maipo iniciaron en la región del Biobío una lucha devastadora y cruel con el apoyo de indios y forajidos. Los patriotas debieron sostener duras campañas hasta que la caída del caudillo realista Vicente Benavides y su ajusticiamiento, pusieron fin a la guerra.

b) *La independencia y la bandera*. El 12 de febrero de 1818 se

MANIFIESTO

procedió en todo el país a proclamar solemnemente la independencia de Chile. En esa misma oportunidad se dio a conocer la bandera definitiva del país, concebida por el ministro Zenteno.

c) *El orden republicano*. O'Higgins y sus colaboradores procuraron establecer sobre bases sólidas el régimen republicano. En esta tarea encontraron la resistencia de una parte del clero y del obispo don *José Santiago Rodríguez Zorrilla*, que debió ser desterrado a Mendoza.

Con el fin de transformar a la sociedad, se abolieron los *títulos de nobleza* de la aristocracia. Para premiar a los patriotas destacados, se creó la *Legión del Mérito*.

También se realizaron algunos esfuerzos para establecer un sistema constitucional. O'Higgins había recibido la plenitud del poder, pero surgieron motivos de descontento, que se procuró solucionar mediante una *Constitución dictada en 1818*. En ella se consagró el poder del Director Supremo, aunque su autoridad quedó balanceada de alguna manera por un Senado de cinco miembros elegidos por el mismo Director.

El *Poder Judicial* quedó perfectamente estructurado y se reconoció su independencia. Era encabezada por un Supremo Tribunal Judiciario.

Esta Constitución no satisfizo las aspiraciones existentes ni tampoco un segundo código dictado cuatro años más tarde.

LA ABDICACIÓN DE O'HIGGINS

Durante los cinco años del gobierno de O'Higgins se suscitó un agudo descontento no obstante el prestigio del Director Supremo.

Abdicación de O'Higgins.
Debido al descontento reinante, el Director Supremo renunció voluntariamente.

La influencia alcanzada por los argentinos y los manejos secretos de la *Logia Lautarina* levantaban duras críticas. La Logia era una asociación secreta que unía a los estadistas y jefes militares del Río de la Plata y Chile, con el fin de coordinar la lucha por la independencia. Sus designios, sin embargo, no siempre eran claros y la gente sospechaba de sus actitudes.

El asesinato de Manuel Rodríguez en Tiltil y el fusilamiento de los hermanos Carrera en Mendoza, causaron una triste impresión y las sospechas recayeron sobre el gobierno.

Por otra parte, la *pobreza general* y el recargo de las contribuciones para atender los gastos de la guerra, aumentaban el descontento.

La situación se hizo insostenible. Requerido el Director Supremo por una asamblea de los principales vecinos, pensó resistir en un comienzo, pero triunfó su patriotismo y espíritu superior, y abdicó para evitar una lucha sangrienta.

Con palabras vehementes solicitó a la asamblea que se le enjuiciase por las faltas que se le atribuían. En lugar de ello recibió una ovación y el reconocimiento de sus opositores.

Al abandonar el poder, O'Higgins se dirigió al Perú, cuyo gobierno le hizo donación de la hacienda de Montalván, como premio por sus esfuerzos en favor de la independencia del Perú. Desde entonces vivió en el destierro, hasta fallecer muchos años más tarde.

LA ORGANIZACIÓN
1823-1861

Presidentes:
Ramón Freire, 1823-1827
Francisco Antonio Pinto, 1827-1829
Joaquín Prieto, 1831-1841
Manuel Bulnes, 1841-1851
Manuel Montt, 1851-1861

El ordenamiento político

ENSAYO DE ORGANIZACIÓN

Durante los siete años siguientes a la caída de O'Higgins (1823), el país vivió un período de relativa desorganización como consecuencia de la lucha armada de la Independencia y porque los conceptos republicanos no eran bien entendidos. A esta etapa se la ha denominado de la Anarquía, lo que no es del todo acertado, porque hubo un propósito sincero de establecer el nuevo orden y hubo adelantos, en diversos aspectos.

La destrucción de los campos y los tropiezos del comercio a causa de la guerra dejaron un *empobrecimiento* extraordinario, agravado por los desembolsos hechos para formar y mantener ejércitos, especialmente la Expedición Libertadora del Perú. La miseria reinaba en el campo, en las ciudades y en el ejército.

El reemplazo del régimen monárquico por el republicano introdujo cambios políticos que por la *inexperiencia* resultaron un fracaso.

Baile en el palacio de gobierno.

Según las ideas modernas, Chile debía ser una república, es decir, debía tener gobernantes elegidos por los ciudadanos y que desempeñasen el mando por períodos limitados.

Los poderes del Estado —Ejecutivo, Legislativo y Judicial— debían ser independientes entre sí. Al Legislativo o Congreso le correspondía aprobar las leyes. Todos los ciudadanos serían iguales. Tendrían las mismas obligaciones y derechos.

Las atribuciones de los poderes del Estado serían reglamentadas por una constitución para que no se cometieran abusos. Ese código estipularía, además, los derechos de los individuos, que no podrían ser atropellados por las autoridades.

Esas ideas fueron difundidas y se discutió la manera de realizarlas.

Tres nuevas constituciones fueron ensayadas, pero resultaron inapropiadas para la realidad nacional. Hubo violentos choques de ideas y los gobiernos se sucedieron unos tras otros. No obstante, la última constitución que se dictó, la de 1828, significó un adelanto en las ideas organizativas, pero establecía demasiada libertad en un país con costumbres políticas atrasadas.

El mando del país estuvo en mano de jefes militares imbuidos de espíritu liberal, como los generales Ramón Freire y Francisco Antonio Pinto. También tuvieron destacada actuación intelectuales como Juan Egaña y José Miguel Infante.

En diversas materias hubo reformas importantes. Por ley de 1823 se *abolió definitivamente la esclavitud*. Se decretó la reforma de las órdenes religiosas para ajustar y moralizar su existencia y se expropiaron sus tierras a cambio de una renta fijada por el gobierno. La *hacienda pública* comenzó a ser ordenada para solventar los gastos del Estado y avanzar en el pago de la deuda fiscal. El intelectual español José Joaquín de Mora fundó un colegio con planes modernos y su esposa el primer colegio de señoritas. Finalmente, llegaron intelectuales que luego desarrollaron una gran labor: Claudio Gay y Andrés Bello.

La Semana Santa

Cesaban las campanadas en las iglesias, y en todas partes había un silencio de muerte. El jueves cesaba todo trabajo, las iglesias eran iluminadas y adornadas con festones de flores y coronas, y las calles se llenaban de personas de ambos sexos, vestidas de negro que en voz alta repetían sus oraciones al ir y volver de las iglesias y capillas de la ciudad, donde depositaban sus dádivas en platillos de plata; allí contemplaban el cuerpo del Salvador representado en un catafalco, y rezaban delante de algunas de la imágenes de las cuales varias tenían grandes aureolas. El sordo y monótono murmullo, producido por las miles de voces en la ciudad, el gran número de gente vestida de luto, y los presos, colocados aquí y allá en las esquinas, y que siempre hacían sonar sus cadenas con los gritos de "limosna para los pobres prisioneros", todo esto daba un aspecto lúgubre y terrible a Santiago. Todas las personas parecían más o menos excitadas por la trascendencia del momento. Las iglesias, los conventos, los asilos y los pobres recibían también pruebas del fervor religioso del pueblo en forma de grandes regalos. Altas figuras vestidas de negro difrazadas con grandes bonetes cónicos molestaban en las plazas a los transeúntes con el grito severo: "den limosna para sacar las almas de los difuntos del purgatorio".

El Sábado Santo antes de las 12 del día se anunciaba la resurrección del Salvador, con salvas de cañones y campanadas, y un gran número de fuegos artificiales.

Relato de viaje de C.E. Bladh, 1828.

EL ORDEN ARISTOCRÁTICO

La Independencia no significó una transformación de la sociedad. El grupo aristocrático mantuvo su influencia y su riqueza, constituyendo el único elemento que podía conducir los destinos del país.

La desorganización que siguió a la Independencia lastimaba profundamente sus intereses y sus sentimientos. El ambiente hacía inseguros los negocios y creaba un clima de intranquilidad. Las reformas llevadas a cabo por los últimos gobernantes pugnaban contra su espíritu conservador y las medidas que habían afectado a la Iglesia herían sus más caras convicciones.

Por otra parte, la suerte del país, con el cual se identificaba, no podía serle indiferente. Necesitaba gobernarlo. Sólo faltaba un caudillo que la llevase al poder.

DIEGO PORTALES Y SU PENSAMIENTO

Portales había nacido en el seno de una familia aristocrática. Desde muy joven se dedicó al comercio, con resultados mediocres. En el Perú le tocó ver la anarquía política, que llegó a perjudicar sus propios negocios. Al regresar a Chile observó un cuadro más o menos parecido, que le indujo a actuar en la vida pública.

Portales era un hombre alejado de las teorías políticas: sus ideas eran de una increíble simplicidad. Pensaba que el *orden* era una condición indispensable en la vida de la nación y que al gobierno correspondía mantenerlo aplicando la ley con todo rigor.

Para ello era necesario un *poder ejecutivo fuerte*, con amplias atribuciones. *Los gobernantes debían ser modelos de virtud*, patriotismo y honestidad, a la vez que inflexibles en el desempeño de sus deberes.

No interesaban a Portales las libertades públicas ni los derechos ciudadanos que, a su juicio, concluían en libertinaje. Sin embargo, pensaba que el *régimen autoritario sólo debía ser provisorio*, hasta que la nación adquiriese una cultura cívica que la capacitase para ejercer sus derechos.

Portales gobernó como ministro en forma personalista y sin sentir respeto por el derecho. Ni siquiera la Constitución de 1833 mereció su aprecio, pues sólo le interesaba que el gobierno contase con un gran poder y no tuviese las manos atadas.

Un caballero de 1837, según un ágil dibujo de Mauricio Rugendas.

Un conflicto político entre los grupos de tendencia liberal que estaban en el gobierno y los grupos opositores de carácter conservador, provocó el levantamiento del general don *Joaquín Prieto* al frente de las tropas de Concepción. Prieto actuaba de acuerdo con Portales y con el sector más representativo de la aristocracia.

El movimiento derrocó al gobierno y colocó en el mando al vicepresidente don José Tomás Ovalle. Fue inútil la resistencia armada que opuso el general Freire: el triunfo de *Lircay (1830)* afianzó a los nuevos gobernantes y Portales, designado ministro, comenzó a ejercer una influencia avasalladora. Más adelante, el general Prieto fue elegido presidente.

Para consolidar la situación, Portales dispuso medidas muy rigurosas. *Dio de baja* a los oficiales y altos jefes del ejército que habían defendido al anterior gobierno, entre ellos a Freire. Creó la *Guardia Nacional*, especie de milicia integrada por los ciudadanos en estado de cargar armas, con el fin de balancear el poder del Ejército. Persiguió y *desterró a los opositores más tenaces y acalló a la prensa* contraria al gobierno. Estableció *consejos de guerra* para juzgar en forma sumaria e inapelable los delitos políticos.

No obstante esas medidas, el país vivió sumido en una profunda intranquilidad y hubo numerosos complots.

LA CONSTITUCIÓN DE 1833

El régimen establecido por Portales y la aristocracia recibió su consagración con la dictación de la Constitución de 1833, que durante 92 años regló la vida de la nación.

El principal inspirador de esta carta fundamental fue don *Mariano Egaña*, eminente jurisconsulto que vació en ella sus ideas conservadoras y autoritarias.

El nuevo código confirió un poder extraordinario al *Presidente de la República*, cuyo período fue fijado en cinco años renovable.

Correspondía al Presidente:

— Participar en la formación de las leyes conjuntamente con el Congreso.

*Mariano Egaña,
jurista en quien se
mezclaban las antiguas
y las nuevas ideas.*

— Expedir los decretos, reglamentos e instrucciones para la ejecución de las leyes.
— Velar por la correcta administración de justicia y la conducta ministerial de los jueces.
— Nombrar y remover a los ministros, a los embajadores, cónsules, intendentes y gobernadores.
— Nombrar a los jueces y magistrados de los tribunales superiores.
— Disponer de las fuerzas armadas.
— Declarar en estado de sitio uno o varios puntos de la república con el fin de tomar medidas extraordinarias de seguridad.
— Disponer de facultades extraordinarias que el Congreso podía cederle mediante leyes especiales.

Tales facultades suelen ser las que generalmente corresponden a todos los jefes de Estado; pero además estaba revestido de atribuciones que hoy parecen exageradas.

— No podía ser acusado constitucionalmente hasta que hubiese expirado su mandato.
— Mediante el derecho de veto sobre las leyes aprobadas por el Congreso, podía impedir que éste legislase.

— Ejercía el derecho de patronato sobre la Iglesia. En virtud de él proponía al papa los eclesiásticos para los cargos superiores de la Iglesia.
— Las municipalidades no podían tomar acuerdos de alguna importancia sin la autorización del gobernador respectivo.

Para asegurar una larga vigencia de la Constitución y dificultar su reforma, se estableció que, para introducirle modificaciones, debía contarse con la aprobación de dos congresos sucesivos. Mediante este procedimiento, cualquier trámite de reforma tomaría muchos años.

LA TENDENCIA GUBERNATIVA

El *despotismo* de Portales se endureció cada vez más y llegó a límites inaceptables cuando tres ciudadanos de Curicó fueron acusados de sedición por el gobierno y fusilados tras una farsa de proceso judicial. La indignación se propagó por el país al mismo tiempo que había síntomas de descontento en el Ejército por la conducta del Ministro.

Un numeroso grupo de oficiales aprisionó a Portales en Quillota con motivo de una revista de tropas y le condujo hacia Valparaíso, donde el gobierno preparó la resistencia. Sin embargo, un teniente actuó en forma precipitada y ordenó el *fusilamiento* del prisionero.

Portales sólo había gobernado en forma autoritaria y personal, contrariamente a lo que han afirmado los historiadores conservadores, sin lograr crear la institucionalidad ni el concepto abstracto de la autoridad. Pero después de su desaparición comenzó a afianzarse realmente el orden constitucional y el respeto al poder legítimamente establecido.

El gobierno de Prieto relajó las medidas autoritarias y preparó el camino para una convivencia con los opositores liberales. Le sucedió el general Manuel Bulnes que se abrió paso gracias a su reciente victoria contra la Confederación Perú-boliviana y porque logró contar con el apoyo indirecto de los liberales. Su deseo, que alcanzó en gran medida, fue que reinase la tranquilidad en el país y que el gobierno actuase apegado al derecho y sin un autoritarismo excesivo.

El gobierno de Manuel Montt, que siguió, también se mantuvo en la estricta legalidad; pero actuó con duro autoritarismo y se vio perturbado por una guerra civil al comienzo (1851) y otra hacia el término del período (1859), debido a que los opositores reclamaban mayores libertades públicas y propiciaban la disminución del poder presidencial. Ambos levantamientos fracasaron.

Tanto en el período de Bulnes como en el de Montt se efectuaron trascendentales cambios de orden educacional, económico y técnico.

El destino nacional

CAUSA DE LA GUERRA CONTRA LA CONFEDERACIÓN PERÚ-BOLIVIANA

En la década de 1830 la seguridad de Chile era inestable por la existencia de la Confederación Perú-boliviana.

El general *Andrés de Santa Cruz*, presidente de Bolivia que había efectuado una importante labor organizativa en su patria, a causa del caos político reinante en el Perú intervino militarmente y obtuvo el acuerdo de un sector de aquella nación para integrarse en una sola entidad con Bolivia. Santa Cruz adoptó el título de protector de la Confederación.

Los gobernantes chilenos, en especial Portales, veían como una amenaza las actuaciones de Santa Cruz; aunque no consta que tuviese planes en contra de Chile.

Diversos factores fueron deslizando a los países hacia la guerra. Con el Perú existía una vieja rivalidad comercial que se agravó con una *lucha de tarifas aduaneras*: mientras el Perú recargaba los impuestos a los productos de Chile, éste hacía lo mismo con las mercaderías peruanas. Un *empréstito* hecho por Chile durante la guerra de la Independencia, no había sido pagado por el Perú. Por otra parte,

La Batalla de Yungay, que puso término a la Guerra con la Confederación Perú-boliviana, 1839.

122

Santa Cruz procuró estimular la actividad portuaria en el Callao en desmedro de Valparaíso, recargando con una contribución a las mercancías europeas que hubiesen estado depositadas en este puerto.

La situación llegó a un punto de rompimiento cuando zarparon del Callao, *dos barcos* con armas al mando de Ramón Freire con el fin de levantar al país contra el gobierno de Prieto y su ministro Portales. Tras la maniobra se ocultaba Santa Cruz.

El intento fracasó y, en represalia, Portales ordenó que dos naves se dirigiesen al Callao para dar un *golpe sorpresivo* a la escuadra de la Confederación. Cayeron en poder de Chile casi todos los barcos rivales.

ESTALLA LA GUERRA

El gobierno chileno preparó una expedición que puso al mando de Manuel Blanco Encalada; pero antes de su salida ocurrió el fusilamiento de Portales, debido en parte a la idea de los oficiales de que la guerra era innecesaria.

La expedición fue un fracaso. El Ejército fue rodeado por fuerzas superiores en *Paucarpata*, cerca de Arequipa, y debió capitular, permitiéndose su regreso a Chile. Santa Cruz procuraba evitar la guerra.

BULNES Y LA BATALLA DE YUNGAY

Una segunda expedición, más numerosa, fue despachada bajo el mando del general don Manuel Bulnes.

El ejército chileno, que contaba con el auxilio de jefes y oficiales peruanos descontentos con la suerte de su patria, desembarcó en las cercanías de Lima y se apoderó de esa ciudad. La expedición recibió el nombre de Ejército Restaurador de la Libertad del Perú.

La insalubridad del clima de Lima y las enfermedades que diezmaban a sus hombres, obligaron a Bulnes a retirarse hacia el norte, cuyas provincias se habían pronunciado contra Santa Cruz. Allí se libró, finalmente, la batalla de *Yungay* el 20 de enero de 1839.

La derrota de Santa Cruz marcó el fin de la Confederación, al

Anciano pobre

mismo tiempo que en Bolivia había estallado un movimiento contra el Protector.

LA GUERRA Y EL SENTIMIENTO NACIONAL

El triunfo no significó para Chile *ninguna anexión territorial,* porque lo único que se había buscado era la disolución de la Confederación. Desaparecido este peligro, el país aseguró su situación y su *supremacía militar y comercial* en el Pacífico sudamericano.

La nación salió fortalecida del conflicto. Había derrotado a dos países que en conjunto eran mucho más poderosos; el *sentimiento patriótico* fue acrecentado y se dejó sentir una gran confianza en el *destino nacional.*

La victoria de Yungay fue vista como un auténtico éxito del pueblo chileno, simbolizado en la figura del *roto.* Para conmemorar la gesta, se construyeron en la capital la plaza y el barrio Yungay. La *Canción de Yungay,* con letra de Ramón Rengifo, y música de José Zapiola, se difundió por todo el país.

Desde los días de la Conquista, el territorio de Chile se extendía a todo el extremo sur de América, no obstante encontrarse sin ocupar esa vasta región, que comprendía la Patagonia, el estrecho de Magallanes y Tierra del Fuego.

Durante el gobierno de Manuel Bulnes surgió el temor de que alguna nación europea tratara de apoderarse de la región magallánica. Para conjurar ese peligro se dispuso levantar un fuerte en el estrecho.

El año 1843, una pequeña goleta llamada *Ancud*, equipada pobremente y con escasos recursos materiales, se dirigió al estrecho con 21 hombres y 2 mujeres. El jefe de la expedición era el capitán inglés al servicio de Chile, Juan Williams.

En la orilla norte del estrecho, en la península de Brunswick, los expedicionarios tomaron posesión del territorio y erigieron algunas barracas y empalizadas que bautizaron como *Fuerte Bulnes*. Cinco años más tarde el establecimiento fue trasladado a un lugar más apropiado, dando origen a la ciudad de Punta Arenas.

Bases de la economía

Después de las guerras de la emancipación, la economía chilena comenzó a recuperarse lentamente. El comercio, que había sufrido interrupciones, se reanudó y reorganizó con una participación cada vez mayor de agentes y casas mercantiles europeas. La agricultura y la minería aumentaron considerablemente su rendimiento; sus productos constituyeron la base de la exportación y la riqueza.

RESTABLECIMIENTO DE LA AGRICULTURA

Desde que el Perú obtuvo su independencia, la exportación chilena de trigo y productos de la ganadería hacia aquel país se restableció y tuvo un mercado seguro.

Posteriormente, se inició la exportación de aquellos mismos productos a *California* y luego a *Australia*. El descubrimiento de oro

Manuel Montt.
Su gobierno representó
un duro autoritarismo.
Transcurrió entre dos
guerras civiles.

Alrededores de Puerto de Hambre, en cuyas cercanías se erigió el fuerte Bulnes.

en esas regiones desató una verdadera fiebre en la gente buscavida, que acudía desde todos los países, formando una nueva población que fue necesario alimentar. Chile se encontraba bien situado para proveer a aquellos territorios y su agricultura respondió de inmediato.

Nuevas tierras fueron cultivadas, los trabajos se intensificaron e incluso se comenzó la construcción de *canales de regadío* y pequeños tranques.

Como consecuencia de este auge, se realizaron los primeros intentos de *renovar las herramientas agrícolas* e introducir máquinas semimecanizadas: arados de acero, sembradoras y trilladoras movidas por caballos, etc. También hubo cambios en la molienda del trigo: en lugar de los molinos de agua se establecieron los primeros grandes molinos movidos por vapor.

EL DESARROLLO MINERO

Desde fines de la Colonia podía percibirse que la gran riqueza de Chile, que habría de superar a la agricultura, sería la minería.

Una mina en Chañarcillo.

Dos metales tuvieron la primacía en la actividad minera: *el cobre*, que comenzaba a ser usado en gran escala en la industria europea, y *la plata*, que por su alto valor servía no sólo como moneda en el país, sino que era el medio de pago para las importaciones.

La minería se concentraba en los distritos del norte. Generalmente se explotaban minas muy pequeñas por muchos empresarios, pero también hubo yacimientos importantes de propiedad de un solo dueño o de sociedades.

En la minería del cobre el establecimiento más famoso fue el de *Tamaya* en las cercanías de Ovalle. Su dueño fue *José Tomás Urmeneta*, hombre muy emprendedor, que venciendo toda clase de dificultades logró descubrir la veta principal del mineral y explotarlo con éxito. La riqueza que acumuló le permitió construir un ferrocarril de Tamaya a Tongoy y levantar en este último lugar una gran fundición y habilitar un puerto.

La difusión en Chile de los *hornos de reverbero*, revestidos interiormente con ladrillos especiales, permitió fundir el cobre en buenas condiciones y aprovechar mejor la materia prima.

La riqueza de Chañarcillo

El distrito minero de Chañarcillo fue descubierto en 1832 por un pobre cateador, Juan Godoy, que encontró en la falda del cerro grandes filones de plata maciza e hizo de inmediato el pedimento. Pero Godoy vendió poco después sus derechos a la familia Gallo, de Copiapó, por una pequeña suma, que derrochó en seguida. El minero descubridor murió más tarde en la pobreza y la familia Gallo obtuvo una utilidad de varios millones de pesos sólo de la mina La Descubridora, que siguió proporcionando grandes cantidades de plata.

Al conocerse ese importante descubrimiento, los mineros afluyeron en gran número para reconocer los terrenos vecinos, donde encontraron innumerables vetas argentíferas. Pronto se establecieron aquí tiendas, cantinas, restaurantes, chingana, garitos, y de toda la república afluyeron prostitutas al nuevo Eldorado, naciendo así esta placilla.

Relato del viajero Paul Treutler, 1853.

La minería de la plata tuvo grandes yacimientos en los años de la Independencia: Agua Amarga en las cercanías de Vallenar y Arqueros, próximo a La Serena.

Sin embargo, fue *Chañarcillo*, situado al sur de Copiapó, el mineral más famoso.

Descubierto accidentalmente por el arriero Juan Godoy, atrajo desde el primer momento a gran número de mineros, ricos y pobres, que abrieron túneles por todos los costados del cerro.

La plata de Chañarcillo fue el origen de grandes fortunas y su riqueza contribuyó poderosamente a la prosperidad del país. Con posterioridad, el mineral de Tres Puntas y otros menores, incrementaron aún más la producción.

Plaza de Copiapó, según R.A. Philippi.

Por aquella época fue iniciada también la explotación del *carbón de piedra* en el litoral de Arauco. Las fundiciones mineras, los ferrocarriles y los barcos a vapor, fueron el estímulo que llevó a la búsqueda de la riqueza negra.

LOS MEDIOS DE TRANSPORTE

Durante los gobiernos de Bulnes y Montt el Estado y los particulares comenzaron a modernizar los sistemas de transporte de pasajeros y carga.

Caminos mejor trazados y cuidados por un cuerpo de ingenieros, se extendieron por las principales regiones, permitiendo el desplazamiento cómodo de carruajes. Anteriormente, sólo podían transitar las pesadas carretas y las recuas de mulas.

El desarrollo de la minería en el distrito de Copiapó permitió la construcción del *primer ferrocarril chileno*, que fue también uno de los primeros de Latinoamérica. Gracias a la iniciativa del norteamericano Guillermo Wheelwright, se asoció un grupo de mineros que financió la empresa. El ferrocarril se extendió entre Copiapó y el puerto de Caldera, en un recorrido de 80 kilómetros. Tanto el material de la vía como el equipo rodante fueron adquiridos en Estados Unidos e Inglaterra.

Poco tiempo más tarde el norteamericano Henry Meiggs construyó el *ferrocarril de Santiago a Valparaíso*, que tropezó con grandes dificultades a causa de los cordones montañosos que debió salvar.

Por entonces también se introdujo en el país la *navegación a vapor*, gracias a la constitución de la Pacific Steam Navigation Company, sociedad de capitalistas ingleses formada por Wheelwright. Dos pequeños barcos movidos por ruedas a babor y estribor, cruzaron el estrecho de Magallanes para establecer una línea de navegación en el Pacífico sudamericano.

EL COMERCIO Y LA BANCA

El intercambio comercial creció aceleradamente. La *exportación*, que tenía como rubros principales a la plata, el cobre y el trigo, aseguró el desenvolvimiento del país. En retorno *se importaban* productos elaborados por la industria europea y norteamericana, que incluía desde artículos de lujo, como muebles, loza, vajilla y géneros finos, hasta herramientas, carbón, géneros corrientes, etcétera.

Entrada a una mina de carbón en Coronel.

Viaducto de Los Maquis en el ferrocarril de Santiago a Valparaíso.
Cuesta del Tabón.

La inexistencia de industrias en el país significaba depender en forma casi total de las manufacturas extranjeras.

Al finalizar el período de la organización, surgieron en el país algunos *bancos* que con sus capitales, prestados a interés, facilitaron el desarrollo económico. Dichos bancos tenían, además, la facultad de emitir billetes, aumentando así la disponibilidad de dinero. Con sus operaciones ayudaron a la minería, la agricultura y el comercio.

La *Caja de Crédito Hipotecario*, creada por el gobierno de Montt para conceder préstamos a los agricultores sobre la base de la hipoteca de sus tierras, fue un estímulo para las tareas del campo; aunque a veces los préstamos se gastaron con fines superfluos.

La cultura

Los intelectuales y los estadistas de las décadas iniciales de la república aspiraban a elevar las condiciones culturales del país. Sentían un desprecio hacia la cultura heredada de la Colonia y deseaban difundir el saber europeo más reciente.

Pensaban, además, que debía darse un gran impulso a la educación en todos sus niveles. Esa sería una manera de mejorar las condiciones intelectuales y morales de la nación.

PRESENCIA DE INTELECTUALES EXTRANJEROS. BELLO

Varios extranjeros de excelente preparación intelectual llegaron al país a prestar sus servicios, siendo acogidos favorablemente por los gobiernos de la época.

Uno de los primeros fue *José Joaquín de Mora*, literato español de ideas liberales que ayudó a renovar el ambiente intelectual.

En las ciencias naturales y la historia sobresale el francés don *Claudio Gay*, que fue contratado por el gobierno de Prieto para estudiar la naturaleza chilena. Después de muchos años de incesante trabajo, Gay publicó su *Historia física y política de Chile* en 30 volúmenes. Por primera vez la zoología, la botánica y la historia del país fueron estudiadas con adecuados métodos científicos.

Otros hombres de ciencia sobresalientes fueron el mineralogista polaco don *Ignacio Domeyko* y el naturalista prusiano don *Rodulfo Amando Philippi*.

Pero sin lugar a dudas la figura intelectual más importante fue don *Andrés Bello*.

Nacido en Caracas en las postrimerías de la Colonia, Bello se destacó desde joven por su pasión por el estudio. Una larga permanencia en Londres le puso en contacto con el movimiento intelectual europeo.

·Contratado por el gobierno chileno, arribó al país para ocupar un cargo en la administración. Las facilidades que encontró y el

Claudio Gay.

aprecio en los círculos más cultos, le permitieron desarrollar sus actividades y alcanzar una fama extraordinaria.

Los estudios literarios eran sus preferidos y él mismo fue un poeta refinado. Su preocupación por el lenguaje se manifestó en muchos ensayos y especialmente en su *Gramática*, vasto tratado donde planteó una concepción original sobre el idioma castellano.

Sin haber estudiado derecho, llegó a ser un jurista consumado. Su obra titulada *Derecho Internacional* ha sido aplaudida universalmente y el *Código Civil de la República de Chile*, aprobado sin discusión por el Congreso Nacional, es una de las mejores obras que existen sobre la materia. Sus disposiciones fueron adoptadas por varios países latinoamericanos.

La influencia de Bello se dejó sentir, además, como consejero de los gobiernos y como maestro. A través de la prensa dio a conocer asuntos artísticos y literarios y comentó numerosas materias de interés público.

El reconocimiento de Chile se tradujo en muchos honores y el otorgamiento de la nacionalidad chilena por ley especial.

Además de los intelectuales señalados, muchas otras figuras dejaron su huella en la cultura nacional.

Andrés Bello, por Raimundo Monvoisin.

LITERATURA Y PINTURA

Entre las diversas facetas del movimiento intelectual sobresalieron la literatura y la pintura, que renovaron profundamente el gusto imperante.

José Victorino Lastarria, joven profesor del Instituto Nacional, estimuló a un grupo de sus discípulos para que cultivasen la literatura. Ese fue el origen del llamado *Movimiento literario de 1842*.

Andrés Bello ejerció una profunda influencia sobre el movimiento, recomendando la corrección en el uso del lenguaje. El argentino Domingo Faustino Sarmiento, exiliado en Chile, criticó aquel punto de vista y recomendó una mayor libertad e imaginación creadora.

Los autores que alcanzaron mayor fama fueron el poeta Eusebio Lillo, autor de la letra de la Canción Nacional, y el costumbrista

Vista de Santiago desde la Alameda. Birlochos, diligencias y carretas eran los medios de transporte.

José Joaquín Vallejo, que con el seudónimo de Jotabeche escribió artículos llenos de gracia y vida.

La *pintura* sacudió la rigidez e ingenuidad de los cuadros de épocas anteriores y buscó la perfección de la forma y la naturalidad del colorido.

Una marcada influencia ejerció el pintor francés *Raimundo Monvoisin*, que llegó al país rodeado de excelente fama. Sus retratos de los grandes personajes de la aristocracia revelan delicadeza y una minuciosa perfección.

El pintor bávaro *Juan Mauricio Rugendas*, espíritu aventurero y curioso, sobresalió por sus dibujos de trazos lineales, tan sencillos como exactos. Los personajes modestos y los temas de la vida corriente le atraían poderosamente. Buscaba lo exótico y pintoresco.

Sus paisajes resultan también notables por la audacia del color y el vigor de las grandes pinceladas, que se adelantan a lo usual en los pintores de entonces.

La calle Ahumada en 1834 (óleo de Mauricio Rugendas).

DESARROLLO DE LA ENSEÑANZA

Los gobiernos de Bulnes y Montt tuvieron una gran preocupación por la educación.

Infinidad de nuevas *escuelas primarias* surgieron en las ciudades y pueblos para llevar la enseñanza de las primeras letras y otras materias elementales a los sectores modestos de la población. Se pensaba que una cultura mínima permitía ganarse mejor la vida, regeneraba moralmente y habilitaba a los ciudadanos para el desempeño de sus deberes.

Para mejorar la educación primaria se abordó la formación de maestros mediante la creación de la *Escuela Normal de Preceptores*. Más tarde se creó otra para mujeres.

La educación secundaria fue fomentada por el establecimiento de *liceos* en las principales ciudades.

Dos escuelas técnicas fueron creadas con el propósito de dar una enseñanza práctica que se echaba de menos en las actividades productivas, la *Escuela de Agricultura* y la *Escuela de Artes y Oficios*.

La medida más trascendental fue, sin embargo, la fundación de la *Universidad de Chile* en 1843. Su primer rector fue don Andrés Bello.

La nueva Corporación, que reemplazó a la vieja Universidad de San Felipe, recibió como título el de "Protectora de las artes, las ciencias y las letras". En los comienzos fue sólo un *organismo académico* encargado de la investigación y la difusión del conocimiento dentro del espíritu más severo. Posteriormente se le agregaron escuelas formadoras de profesionales y tomó un carácter *docente*.

La Universidad, además, estaba encargada de orientar y vigilar todo el sistema educacional del país.

LA EXPANSIÓN
1861-1891

Presidentes:
José Joaquín Pérez, 1861-1871
Federico Errázuriz Zañartu, 1871-1876
Aníbal Pinto, 1876-1881
Domingo Santa María, 1881-1886
José Manuel Balmaceda, 1886-1891

Durante tres décadas se afianzó la tendencia liberal en todas las esferas de la vida nacional. La libertad, como condición fundamental para la existencia humana, reemplazó la concepción autoritaria del poder y fue la base para reformar la Constitución. Además, la práctica de la libertad, dentro de un perfecto orden, fue el factor de la *real formación y desarrollo de la institucionalidad*.

En el campo económico, los individuos y las empresas pudieron desarrollar ampliamente sus actividades, sin marcos rígidos y con medidas protectoras que los favorecieron. La cultura alcanzó un alto nivel de madurez y en la sociedad se marcaron nuevos sectores con características de clases.

Como consecuencia del desenvolvimiento general, fueron ocupadas las regiones aun no incorporadas y el país se expandió a los desiertos del norte.

La política liberal

La mentalidad conservadora y autoritaria de los años precedentes, cedió ante la influencia del liberalismo europeo.

Políticos e intelectuales como José Victorino Lastarria, Miguel Luis Amunátegui y muchos otros difundieron y lucharon por el liberalismo en sus libros, en la prensa y en el Congreso.

José Victorino Lastarria, político y pensador liberal.

La nueva corriente ideológica buscaba la *mayor libertad política* para los ciudadanos, de manera que pudiesen actuar y expresar sus opiniones sin presiones de ninguna especie.

En el orden económico se propició el desarrollo de las iniciativas individuales, sin que el Estado interviniese en las actividades de los particulares. El economista francés Juan Gustavo Courcelle Seneuil, contratado por el gobierno, difundió las ideas económicas liberales. Respecto del comercio internacional la tendencia fue diferente. Hubo autores chilenos que propiciaron el proteccionismo frente a la competencia y, en los hechos concretos, los gobiernos establecieron medidas protectoras para favorecer a diversos rubros

140

Federico
Errázuriz
Zañartu.

de producción. En consecuencia, tanto en el aspecto interno como externo, la idea fue favorecer el desenvolvimiento de la economía chilena.

EL TRIUNFO LIBERAL

La etapa de la Expansión se inicia con el *gobierno de transición* de don José Joaquín Pérez, que buscó la tranquilidad política y usó el poder en forma moderada.

El *primer presidente liberal* fue don Federico Errázuriz Zañartu, elegido en 1871 con el apoyo conservador, grupo del que pronto se alejó. Desde entonces y hasta concluir el período, todos los presidentes fueron liberales.

Entre ellos sobresalieron por sus dotes de carácter, inteligencia y su espíritu autoritario, don *Domingo Santa María* y don *José Manuel Balmaceda*, que no vacilaron en llevar adelante sus planes de gobierno, aun cuando levantaron duras críticas y oposición.

LA LUCHA EN TORNO A LA IGLESIA

El liberalismo consideraba que la Iglesia ejercía una excesiva *influencia social*, impidiendo la renovación de las ideas y las costumbres. Como estaba muy ligada al Partido Conservador, se la estimaba una institución retrógrada.

Calle de Quillota. La existencia pueblerina tenía un marcado tono rural.

Para rebajar su papel y asegurar la *libertad de conciencia*, los estadistas liberales, entre los que sobresalieron Manuel Antonio Matta y Domingo Santa María, el futuro presidente, lucharon en el Congreso para quitarle algunos de sus privilegios.

Un primer paso se dio con la dictación de una ley que interpretó el artículo 5° de la Constitución. Según ésta, la religión oficial era la Católica y se excluía el ejercicio público de cualquiera otra; pero en adelante se permitió el *culto de cualquier religión* en recintos privados.

Más adelante se efectuó una reforma relativa a los *cementerios* del Estado. En ellos se permitió la inhumación de personas que hubieran practicado cualquier religión. Este hecho desató una terrible lucha que preocupó hondamente a la sociedad. La Iglesia prohibió a sus fieles el entierro en tales cementerios, y el gobierno de Santa María clausuró los cementerios católicos. Finalmente, todo se arregló mediante la existencia de ambos tipos de cementerios.

También se estableció en el país el *matrimonio civil*, desligándolo del sacramento de la Iglesia. En adelante, para el Estado sólo tendría validez el matrimonio celebrado como contrato ante el oficial civil.

Complemento de esas y otras medidas fue la creación del *Registro Civil*, encargado de anotar los nacimientos, matrimonios y defunciones, que hasta entonces sólo habían sido consignados en los libros de las parroquias.

LA LIBERTAD ELECTORAL

La facultad de los ciudadanos de elegir libremente a sus representantes, fue uno de los puntos básicos en el pensamiento de los liberales.

En el país era ya una costumbre que el presidente de la república, valiéndose de su poder y de su influencia, ejerciera una abierta *intervención electoral*. Hacía elegir como parlamentarios a personas de su confianza y, además, solía imponer como candidatos a la presi-

El cucurucho, personaje que representaba las viejas costumbres religiosas (Tornero, Chile ilustrado).

143

*Domingo Santa María,
político y presidente
liberal de gran
inteligencia y carácter.*

dencia a alguno de sus colaboradores, con lo cual su triunfo quedaba asegurado.

La lucha en torno a este problema fue larga y tenaz: recrudecía antes y después de cada elección, sin que se llegara a una verdadera solución.

Hacia la libertad electoral

Las elecciones de diputados y de senadores se han verificado en Chile de una manera desconocida hasta ahora, esto es, con la más amplia libertad. El partido montt-varista, dominante todavía en las municipalidades, el Congreso y los Tribunales de Justicia, ha hecho cuanto ha podido para perpetuarse en el poder, ganando las elecciones sin reparar en medios. Por la ley actual, las municipalidades tienen un poder inmenso cuando se trata de elecciones; pero a pesar de todo esto, y a pesar de los abusos, hemos triunfado en todas las partes en donde ha habido lucha. Sólo no ha sido posible luchar en algunos pueblos donde quedaban todavía intendentes o gobernadores montt-varistas que no se paraban en medios para triunfar. La tranquilidad no se ha turbado en nada por las elecciones, porque el gobierno ha querido que haya libertad completa y la ha habido en todas partes.

Carta de D. Barros Arana a B. Mitre, 1864.

EL CRECIENTE PODER DEL CONGRESO

Los grupos liberales tuvieron en el Congreso su más firme bastión de lucha y cuando ganaron el Poder Ejecutivo, mediante el triunfo de sus candidatos, su poder fue incontrarrestable.

Carros tirados por caballos en la Alameda de Santiago. Al fondo la Casa Central de la Universidad de Chile.

El parlamento constituía la más genuina tribuna para ventilar y decidir las cuestiones públicas.

Mediante diversas *reformas constitucionales* se rebajó el poder del presidente y, en cambio, fueron aumentadas las atribuciones del Congreso.

Algunas de las reformas se enumeran a continuación:

a) *Período presidencial*. Al terminar un período de cinco años, el presidente no podría ser reelegido para un período inmediato.

b) *Acusación a los ministros*. El mecanismo parlamentario para llevar adelante este tipo de acusación, fue simplificado.

c) *El Consejo de Estado*. Este organismo que asesoraba al presidente, quedó integrado mayoritariamente por senadores y diputados.

d) *Facultades especiales*. Se reglamentó el uso de las facultades extraordinarias y las atribuciones del Ejecutivo durante los estados de sitio.

e) *Libertades públicas*. Fueron garantizados el derecho de reunirse sin permiso y sin armas, y el de asociarse.

Mediante esas y otras reformas, el Congreso acentuó su importancia y comenzó a enfrentar a los gobiernos. Los grandes problemas nacionales, la conducción del país y hasta los actos de los funcionarios públicos, eran motivo de la preocupación parlamentaria. Muchas veces se *interpelaba a los ministros* para que aclarasen la política gubernativa o dieran cuenta de sus acciones concretas.

La Constitución daba al Congreso algunas atribuciones formidables para combatir el poder del presidente: cada año o cada año y medio debían dictarse leyes especiales para aprobar el *presupuesto de la nación, autorizar el cobro de las contribuciones y aprobar la existencia de las fuerzas armadas.*

La necesidad imprescindible de obtener esas leyes obligaba a los gobiernos a marchar de acuerdo con el parlamento.

Ocupación del territorio

Hasta mediados del siglo XIX la vida de la nación chilena se había desarrollado en el territorio comprendido entre los ríos Copiapó y Biobío, más los enclaves de Valdivia, Osorno, Chiloé y el recién fundado fuerte Bulnes.

La prosperidad general y el aumento de la población y la necesidad de incrementar la producción agrícola, produjeron un movimiento colonizador hacia las regiones aún no ocupadas y un desplazamiento más allá de las fronteras en el norte.

COLONIZACIÓN ALEMANA

Aunque iniciada en época anterior, la colonización alemana en la región de Los Lagos logra plenos resultados en el período de la Expansión.

Molino de San Juan levantado por colonos alemanes, por R.A. Philippi.

Vicente Pérez Rosales, autor de Recuerdos del pasado *en que narró su vida de aventurero y pionero de la colonización.*

Gracias a la acción de algunas personas particulares y a un plan oficial de colonización, pudo llegar a Chile un contingente de familias alemanas, que en los primeros diez años alcanzaron a 4.000 personas.

Ese número, relativamente escaso, sin embargo fue suficiente para colonizar el territorio comprendido entre Valdivia y el seno de Reloncaví.

Como agente de colonización nombrado por el gobierno, figuró *Vicente Pérez Rosales*, un tenaz pionero que debió vencer toda clase de dificultades en el terreno. Exploró la región, casi absolutamente desconocida, y recibió a los colonos distribuyéndoles tierras y solucionándoles miles de dificultades.

Para disponer de tierras cultivables fue necesario quemar la selva virgen y abrir senderos a golpe de hacha.

Los colonos alemanes eran gente de notable empuje, gracias a cuyo tesón pronto se vieron los mejores frutos. Además de la *producción agrícola y ganadera*, establecieron *pequeñas industrias* para la fabricación de cecinas, calzado, cerveza, muebles, carruajes, etcétera.

Comerciantes exhiben sus mercaderías a los indígenas, mientras un cacique pesa monedas en una balanza.

El Estado ayudó a mantener a los colonos en los primeros años, organizó la administración y construyó caminos y escuelas. Mestizos chilotes e indígenas de la región trabajaron como peones.

La prosperidad permitió crear dos ciudades, *Puerto Montt* y *Puerto Varas*.

OCUPACIÓN DE LA ARAUCANÍA

La tranquilidad que, en general, reinaba en la frontera del Biobío y las intensas relaciones que existían entre los habitantes de uno y otro lado, permitieron el avance colonizador de la Araucanía.

En el valle central, al sur del Biobío, algunos intrépidos campesinos y agricultores se habían establecido, comprando, arrendando o simplemente quitándoles sus tierras a los indios. En el sector costero, la existencia del fuerte de Arauco y la explotación del carbón de piedra aseguraban otra línea de penetración. El comercio era intenso desde la época colonial.

Avance espontáneo en la Araucanía

Es notable el número de comerciantes que con capitales no pequeños han ido a establecerse en la plaza de Cañete, sacando todos regular producto; pues a ella concurren para sus compras no sólo los cinco a seis mil habitantes que hay en las inmediaciones, sino también los muchos negociantes que hacen el comercio con todas las tribus indígenas, que habitan al norte del Imperial y aun al sur de este río, pudiendo asegurarse que desde el mes de noviembre, del año pasado hasta la fecha [1º de junio] se han sacado del interior de la Araucanía no menos de seis mil animales vacunos y un número mayor de ganado lanar.

Informe del coronel Cornelio Saavedra, 1869.

Puerto Montt veinte años después de la colonización alemana.

Las tropas llegan al asiento donde estuvo la antigua ciudad de Villarrica.

Durante el gobierno de don José Joaquín Pérez se inició la acción oficial para concluir la incorporación de la Araucanía. El realizador de aquella empresa fue el coronel *Cornelio Saavedra*, que en corto plazo ocupó hasta el río *Malleco*, volviendo a fundar la ciudad de Angol. Por la costa avanzó hasta el río *Toltén*.

Este primer avance se ejecutó con escaso derramamiento de sangre; pero luego hubo una sublevación de los indios cercanos al río Malleco, que obedecían al cacique Quilapán. Derrotados los naturales, la ocupación se detuvo por algunos años; pero al estallar la Guerra del Pacífico, el avance se había reanudado hasta la línea del río *Traiguén*.

El conflicto con el Perú y Bolivia significó debilitar el ejército de la Araucanía y este hecho fue aprovechado por los indios para lanzarse contra los puestos fronterizos.

Al concluir la campaña de Lima, que virtualmente puso término a la guerra, se pudo reiniciar la ocupación. Las tropas avanzaron hasta el río *Cautín* y se fundó la ciudad de *Temuco* (1881).

El coronel Gregorio Urrutia fue el encargado de ocupar el territorio que restaba. Levantó diversos fuertes y prosiguió hasta el lago *Villarrica*, donde fundó de nuevo la ciudad del mismo nombre.

Reunión amistosa de Cornelio Saavedra con los caciques de la Araucanía.

Así quedaba concluida una tarea que habían iniciado los españoles hacía más de 300 años.

En ese largo período había disminuido la población araucana y se habían desarrollado el comercio, el mestizaje y la transculturación, que habían ido produciendo la integración.

PIONEROS EN LOS DESIERTOS DEL NORTE

Las notables riquezas minerales que existían en la zona desértica, fueron estímulo constante para numerosos aventureros y empresarios que se lanzaron en arriesgadas expediciones a explorar cerros, pampas y quebradas. Unos buscaban plata, otros cobre, guano o salitre.

Uno de los primeros exploradores fue el *chango López*, hombre modesto que descubrió guano en Mejillones. En sus incesantes búsquedas, terminó por establecer su rancho en la *caleta de Antofa-*

Campamento minero en Caracoles.

gasta, entonces deshabitada. Ese fue el origen de un poblado que luego se transformó en ciudad.

Otro explorador de gran empuje fue *José Santos Ossa* que financió y realizó diversas expediciones. En una de ellas descubrió salitre en el Salar del Carmen, al interior de Antofagasta, que benefició obteniendo grandes riquezas.

El descubrimiento del fabuloso mineral de plata de *Caracoles*, en las proximidades de Calama, atrajo una mayor población de mineros y aseguró las actividades en la zona.

Todas estas explotaciones tenían lugar en el territorio reclamado por Bolivia, que manifestaba allí, de alguna manera, su soberanía.

Sin embargo, los trabajadores, los técnicos, los empresarios y los capitales eran chilenos. Además, el aprovisionamiento de alimentos y útiles mineros se realizaba desde Valparaíso y éste era el puerto donde se negociaba la exportación de los minerales del norte.

La soberanía boliviana era sólo teórica.

Los conflictos internacionales

En la década de 1860, España pretendió ejercer derechos reivindicatorios sobre algunas de sus antiguas colonias: se apoderó de Santo Domingo y conjuntamente con Inglaterra y Francia, presionó a México para el pago de sus deudas.

Francia invadió ese último país y trató de imponerle como emperador a Maximiliano de Austria, originando una cruel guerra.

Tales hechos despertaron un sentimiento de indignación y de solidaridad en los países latinoamericanos. Mediando esta circunstancia, España estableció una *reclamación ante el Perú* por gastos que se le adeudaban y otros asuntos. Dos naves de guerra llegaron con el fin de respaldar la reclamación.

En un acto de increíble precipitación las fuerzas españolas se apoderaron de las *islas Chincha*, que daban al Perú la riqueza del guano.

Desde aquel momento los hechos se encadenaron fatalmente. Chile solidarizó con el Perú y declaró contrabando de guerra al carbón, para impedir el aprovisionamiento de la escuadra española, que fue reforzada con otros poderosos barcos.

El jefe de la escuadrilla española, José Manuel Pareja, ordenó el *bloqueo de los puertos chilenos*, que fue ineficaz y terminó desastrosamente para él. La corbeta *Esmeralda*, uno de los dos barcos que poseía Chile, sorprendió a la goleta española *Covadonga* y la obligó a rendirse. Pareja no pudo soportar la derrota y se suicidó.

El nuevo jefe español, Casto Méndez Núñez, persiguió a las naves chilenas y peruanas, que se refugiaron en los canales cercanos a Chiloé.

La guerra se prolongaba inútilmente y con menoscabo del prestigio de España. Esta situación determinó al gobierno de Madrid a ordenar duras hostilidades.

Méndez Núñez dispuso el *bombardeo de Valparaíso*, que se efectuó el 31 de marzo de 1866. El puerto carecía de defensa, de tal manera que las naves españolas actuaron impunemente.

La escuadrilla española bombardea Valparaíso, puerto indefenso.

Durante tres horas, la ciudad, que había sido abandonada por sus habitantes, recibió el fuego enemigo, concentrado en los edificios públicos, los almacenes de la aduana y las instalaciones portuarias. Los daños fueron enormes.

La desgraciada aventura de España terminó con un ataque al Callao, cuyas fortalezas respondieron duramente a la acometida.

El gesto solidario de Chile con el Perú, que tan caro le costó, no fue imitado por otros países hermanos y no pasó mucho tiempo antes de que una conjura de los gobiernos vecinos le pusiese en duras dificultades.

ANTECEDENTES DE LA GUERRA DEL PACÍFICO

La Corona española nunca se preocupó de fijar con precisión los límites de sus colonias y ésta fue la causa de numerosos litigios entre países vecinos.

Desde la Colonia, Chile limitaba por el norte con el desierto de Atacama, expresión vaga que se presto para diversas interpretaciones. Nuestro gobierno sostenía que el límite debía situarse en el paralelo 23, a la altura de Mejillones; en cambio, Bolivia afirmaba

*Aníbal Pinto,
presidente de Chile
al iniciarse la
Guerra del Pacífico.
Hombre tranquilo
y bondadoso, supo,
sin embargo,
orientar
adecuadamente
la guerra.*

que era el paralelo 25, y que, por lo tanto, su soberanía se extendía hasta allí por el sur.

Diversas negociaciones no dieron buen resultado, hasta que, mediante un *tratado firmado en 1874*, se fijó el límite en el paralelo 24, con el compromiso de Bolivia de no aumentar los impuestos a las compañías chilenas que trabajaban entre los paralelos 23 y 24.

Un año antes el Perú había celebrado con Bolivia un *tratado secreto* para apoyarse mutuamente en caso de guerra. También buscó la alianza de Argentina, que estuvo a punto de suscribir el tratado.

Los planes impulsados por el Perú se debían a la difícil situación de su industria salitrera en Tarapacá, la que había estatizado con el fin de obtener mejores rendimientos para el fisco. Aliándose con Bolivia podía luchar mejor contra la influencia chilena en la explotación del salitre.

Cinco años después de firmado el tratado secreto, el dictador boliviano Hilarión Daza ordenó recargar a la Compañía de Salitres de Antofagasta el *impuesto de exportación* del nitrato. Luego anuló esa medida y en su lugar dispuso poner término a la concesión de los terrenos salitreros que explotaba la Compañía; ello significaba desconocer el tratado de 1874.

Arturo Prat.

El día que debía cumplirse el decreto, algunos barcos de guerra chilenos desembarcaron tropas en Antofagasta y ocuparon la ciudad en medio de la bienvenida de la población, compuesta casi totalmente por chilenos.

DESARROLLO DE LA GUERRA DEL PACÍFICO

La dirección superior de la guerra fue entregada por el presidente Pinto, sucesivamente, a dos destacados políticos civiles, don Rafael Sotomayor y don José Francisco Vergara, que desplegaron gran actividad e inteligencia. Se estima que fueron los constructores de la victoria. Los comandantes en jefes del ejército y de la armada se desempeñaron mediocremente.

La ocupación de Antofagasta ocurrió en febrero de 1879. Desde entonces, y durante cuatro años, el conflicto se desenvolvió a través de diversas campañas.

Una primera preocupación fue asegurar el dominio del mar. Las fuerzas navales estaban más o menos equilibradas: Perú disponía de los blindados *Huáscar* e *Independencia* y Chile del *Cochrane* y el *Blanco*. Ambos beligerantes poseían además algunas fragatas y corbetas de madera movidas a vapor y vela.

La escuadra chilena no tuvo éxito en la búsqueda de los barcos enemigos y, mientras expedicionaba hacia el Callao, tuvo lugar en Iquique el primer triunfo moral y material de Chile.

La *Esmeralda* y la *Covadonga*, capitaneadas por Arturo Prat y Carlos Condell fueron sorprendidas por el *Huáscar* y la *Independencia*, que las superaban por su blindaje, artillería y velocidad.

Prat ordenó hacer frente de cualquier manera; su frágil embarcación no podía, sin embargo, resistir mucho tiempo. El comandante del *Huáscar*, Miguel Grau, decidió abreviar el combate embistiendo a la *Esmeralda* con el formidable espolón de proa del blindado. Este ataque fue aprovechado por Prat y algunos de sus hombres para efectuar un desesperado abordaje, que concluyó con la muerte de todos ellos.

La *Esmeralda* se hundió mientras sus hombres hacían fuego hasta el último momento.

Entretanto, la *Covadonga* había tomado rumbo al sur perseguida por la *Independencia*. La *Independencia* chocó con rocas sumergidas y sin poder zafarse se tumbó para hundirse definitivamente.

Chile había perdido una nave anticuada y de malas condiciones guerreras; en cambio, el Perú perdía su barco más poderoso.

Hundimiento de la Esmeralda.

Batalla de Chorrillos (óleo de Juan Mochi).

Pero el hecho más importante fue el heroísmo de Prat y su tripulación, que como *ejemplo moral*, guiaría a las fuerzas chilenas hasta la victoria final.

Con posterioridad, el *Huáscar*, hábilmente dirigido por Grau, efectuó diversos ataques a puertos y naves chilenas, sembrando la confusión, hasta ser sorprendido en Angamos por los blindados chilenos y obligado a rendirse después de un combate en que pereció su valiente comandante.

Desde aquel momento, con tres blindados en su poder, Chile ejerció un dominio casi total en el mar.

Solucionado el problema del mar, pudo iniciarse la invasión del territorio peruano. La campaña de Tarapacá permitió dominar aquella región y aprovechar la gran riqueza del salitre. Luego fueron capturadas las provincias de Tacna y Arica y, finalmente, el ejército expedicionario compuesto de 20.000 hombres, desembarcó al sur de Lima. Las batallas de Chorrillos y Miraflores abrieron las puertas de la capital peruana.

Todavía fue necesario sostener una difícil campaña en la Sierra o Andes peruanos, donde operaban algunas fuerzas y montoneras al mando de caudillos audaces.

Fin de la batalla de Tacna

El campo está sembrado de cuerpos muertos y heridos de una parte y de otra, pero más de los enemigos. Se vino a cortar la batalla como a las tres de la tarde y se principió el fuego a las seis de la mañana, pero con el de cañones; el de rifles duró cuatro horas. Ya se cortó el fuego y los reunimos en el borde del cerro a mirar a los enemigos como iban arrancando para el interior y para Arica, y las caballerías nuestras los iban siguiendo y cautivaron muchos de ellos, coroneles, oficiales y soldados. Y los bajamos para la ciudad de Tacna que se veía cerca como una legua y muchos cuerpos más y otros iban dentrando al pueblo a tiros y más tiros y nosotros también ibamos a dentrar y dentrando íbamos cuando nos volvieron para atrás. ¡Qué rabia nosotros! cuando nos había dicho mi general que si ganábamos lаución ái los daba saqueo en Tacna. En la ciudad se veían muchas banderas chilenas porque no les hicieran nada que ya estaba por nosotros, y nosotros con hambre, sin comer ninguna cosa todo el día, ni andábamos trayendo nada, porque todas las cosas que comer que andábamos trayendo las habíamos botado en el campo de batalla, ¡y no haberlos dejado dentrar al pueblo! y nos llevaron al pie del cerro alojar muy inmediato a la ciudad esa noche, qué noche tan amarga para nosotros, sin comer ni tener en qué dormir, porque toda la ropa la habíamos botado en el campo de batalla, y tanto frido que hizo en la noche y un viento tan helado que se levantó y una camanchaca llovida que comenzó a caer para acabar de rematar durmiendo enterrados en la arena y la barriga pegada al espinazo; pero muchos soldados vinieron en la noche al pueblo y llevaban muchas cosas de comer y que tomar, pero yo y mi compadre Sandoval no los movimos.

Crónica del soldado Hipólito Gutiérrez.

Un gobierno provisorio formado en el Perú celebró con Chile el *Tratado de Ancón* (1883), que puso fin al conflicto.

Perú cedió a Chile a perpetuidad el territorio de *Tarapacá*. Además, cedió temporalmente los territorios de *Tacna* y *Arica*, cuya suerte definitiva sería decidida al cabo de diez años mediante un plebiscito. (Éste jamás se realizó; pero en 1929 se llegó a un acuerdo, quedando el Perú con Tacna y Chile con Arica).

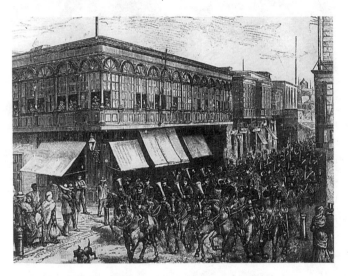

Tropas chilenas ingresan ordenadamente en Lima.

En cuanto a Bolivia, un simple *pacto de tregua* declaró terminado el estado de guerra. Durante su vigencia, Chile mantendría la ocupación del territorio de *Antofagasta*. (El tratado definitivo se firmó en 1904: Bolivia cedió definitivamente el territorio de Antofagasta y Chile se comprometió a construir el ferrocarril de Arica a La Paz, permitir el libre tránsito de las mercaderías bolivianas y pagar una compensación en dinero).

Entierro de muertos después de una batalla.

La Guerra del Pacífico significó para Chile aumentar considerablemente su territorio y obtener las fabulosas riquezas del salitre y del cobre. Desde entonces la prosperidad económica se acentuó y la riqueza pública y privada permitió realizar infinidad de obras de progreso.

LOS PROBLEMAS DE LÍMITES CON ARGENTINA

Los reyes de España habían concedido a los gobernadores de Chile una amplia jurisdicción que abarcaba el territorio de la *Patagonia* al otro lado de la cordillera y que se extendía hacia el sur sin límite. Sin embargo, no hubo posibilidad real de ocupar esas regiones.

En pleno período republicano, la fundación del fuerte Bulnes y de Punta Arenas fueron los únicos intentos para incorporar una parte de aquellos territorios. Gracias a ellos, Chile pudo hacer valer sus derechos al estrecho de Magallanes.

Al promediar el siglo XIX se inició la disputa de límites con Argentina. Largas negociaciones fracasaron y en Chile comenzó a primar la idea de que la Patagonia carecía de valor. Además, no existía el menor vínculo con aquella región ni posibilidad de colonizarla.

El país estaba completamente orientado hacia el norte, que ofrecía sus grandes riquezas mineras.

Durante la Guerra del Pacífico, mientras las armas chilenas avanzaban en los desiertos, allende los Andes las fuerzas argentinas se desplazaban paulatinamente por la Patagonia. Concluido el conflicto, en medio de una situación internacional preñada de amenazas, se celebró con el gobierno de Buenos Aires el *Tratado de Límites de 1881*. En él se estipuló que la línea fronteriza correría por *las más altas cumbres de la cordillera*, con lo cual se renunciaba de golpe a todo territorio situado al otro lado de las montañas.

Chile mantendría en su poder íntegramente el *estrecho de Magallanes*. La *Tierra del Fuego*, dividida por una línea de norte a sur, sería chilena al oeste y argentina al este.

Después de firmado el tratado, fue necesario fijar con precisión la línea fronteriza. Esto dio lugar a una tarea larguísima, en que un perito chileno y otro argentino debatieron acerca de aquellos puntos en que el relieve no era claro. Don *Diego Barros Arana*, como perito chileno, trabajó infatigablemente y con el mayor acopio de antecedentes de que se podía disponer.

Los puntos en que no hubo acuerdo entre los peritos, principalmente en la región sur, fueron sometidos al *arbitraje de su Majestad Británica*. En 1902 se emitió el fallo, que procuró satisfacer a ambas partes, aunque sin respetar enteramente las razones alegadas por uno u otro país.

El arbitraje no fue una solución definitiva: nuevas controversias y la interpretación del fallo han seguido originando problemas.

Prosperidad económica

AGRICULTURA

El aumento de la población en Latinoamérica y Europa y la necesidad de alimentarla estimularon en Chile el desenvolvimiento agrícola.

Si en épocas anteriores la exportación había sido exclusivamente a países del Pacífico, ahora se abrió también el mercado del Atlántico. El *trigo*, por ejemplo, fue enviado a Argentina, Brasil y también a Gran Bretaña.

El aumento de la producción agrícola se debió a la incorporación de la Araucanía y a la colonización alemana. Pero también tuvo importancia el mejoramiento de la técnica agrícola y la introducción de nuevas especies vegetales y animales.

Varios *canales de regadío*, algunos de ellos de gran longitud, fueron construidos por hacendados particulares, que de esa manera lograron aumentar el área cultivable. El empleo de *abonos*, aunque insuficiente, y la importación de *máquinas a vapor* y herramientas nuevas, contribuyó a mejorar la producción.

Entre las nuevas especies agrícolas, la *vid francesa*, traída por los propietarios de grandes viñas, fue la que dio resultados más notables. Desde entonces el *vino* adquirió una calidad sobresaliente y triunfó en las exposiciones internacionales.

En la ganadería hubo avances positivos con la introducción de animales reproductores que hicieron posible la renovación de la masa ganadera. Los *vacunos holandeses*, buenos productores de leche y carne, fueron uno de los mejores éxitos. En la región de Magallanes la adopción de la *oveja merino* constituyó con su producción de lana y carne el gran elemento del desarrollo regional.

MINERÍA

El proceso industrial moderno, que se desarrollaba espectacularmente en Europa y los Estados Unidos, requería de materias primas en forma creciente. Los países poseedores de minerales, como es el caso de Chile, respondieron a esa demanda aumentando la producción.

Oficinas salitreras: chancadoras de vapor.

El *cobre* chileno, cuya producción venía en aumento desde las últimas décadas, llegó a ser uno de los rubros más importantes de la exportación. Chile se transformó en el *primer productor del mundo* y los impuestos pagados por el metal rojo financiaron en algunos años la mitad del presupuesto nacional.

La minería de la *plata* alcanzó también niveles extraordinarios. El yacimiento de *Caracoles* superó en muchas la producción que había tenido Chañarcillo, y, aunque estaba situado en territorio boliviano, benefició fundamentalmente a la economía chilena.

El *carbón* de las minas de Lota y Schwager se impuso definitivamente en el mercado nacional y comenzó a ser exportado a otros países latinoamericanos.

Sin embargo, fue la riqueza del *salitre* la que dio un auge extraordinario a la economía del país.

Desde antes de la Guerra del Pacífico los empresarios y obreros chilenos participaban en la minería del salitre boliviano y peruano. Después del conflicto, al pasar las provincias salitreras a poder de Chile, quedó en manos del país el *monopolio mundial* del nitrato.

La propiedad de las oficinas salitreras, sin embargo, correspondió sólo en pequeña parte a los chilenos y, en cambio, más de la mitad pertenecía a sociedades inglesas, como asimismo los ferrocarriles salitreros. Este hecho determinó que una parte apreciable de la riqueza beneficiara a capitalistas extranjeros.

El aumento de la demanda americana y europea de fertilizantes, con el fin de incrementar la producción agrícola, representó un impulso decisivo para la minería del salitre; las remesas del producto constituyeron el *rubro más importante de la exportación chilena.*

Las siguientes cifras muestran el impresionante desarrollo de la producción de nitrato:

Año	*Toneladas*
1878	350.000
1900	1.470.000

INDUSTRIA

El aumento de la población y de las necesidades permitió el desarrollo de talleres y fábricas que elaboraban productos de consumo corriente. La industria europea no tenía interés en suministrar mercaderías de bajo costo que, además, se recargaban por los fletes de un trayecto muy largo. Surgieron de ese modo manufacturas de tejidos, calzado, vidrio, muebles, galletas, cerveza, etcétera.

Hubo también maestranzas y fundiciones que fabricaron herramientas, arados, partes y repuestos de maquinaria; eventualmente locomotoras, vagones y aplanadoras.

OBRAS PÚBLICAS

Los impuestos aduaneros a la exportación del salitre aumentaron extraordinariamente los fondos fiscales. Gracias a ese buen rendimiento fue posible pagar las deudas de la Guerra del Pacífico e iniciar numerosas obras públicas.

El gobierno de Balmaceda fue el que mostró mayor preocupación por llevar a cabo obras públicas. Según el Presidente, la riqueza del salitre era momentánea y debía invertírsela en obras duraderas antes que se terminara.

Las vías de comunicación fueron mejoradas y se expandieron notoriamente. Se construyeron nuevos *caminos* de primera clase, dotados de buenos puentes, y las *vías férreas* penetraron a regiones apartadas. Varios ramales se desprendieron de la vía longitudinal sur y ésta penetró en la Araucanía, venciendo audazmente las depresiones del terreno. La obra más importante, por su concepción y realización, fue el *viaducto del Malleco*, cuyos planos fueron elaborados por el ingeniero chileno Aurelio Lastarria.

Viaducto del Malleco en construcción.
Inaugurado en 1890 por el presidente Balmaceda.

La acción de Balmaceda

La síntesis de todo mi programa de gobierno consiste en el ensanchamiento de la instrucción pública, en el fomento activo y resuelto de la industria [economía], en la severa probidad pública y administrativa, y en la quietud de los espíritus para realizar, en la medida de lo posible y con el concurso de todos, la obra común del engrandecimiento de la república.

Un Estado con rara fortuna fiscal y con industrias nacientes y con una riqueza particular que no puede llegar a límites verdaderamente singulares, requiere el perfeccionamiento del hombre, como concepción intelectual que inicia y como capacidad de producción que enriquece.

El Estado puede suministrar en gran parte los elementos en que las aptitudes individuales deben ejercer su acción directa y bienhechora, y por eso procuro que la riqueza fiscal se aplique a la construcción de liceos y escuelas y establecimientos de aplicación de todo género, que mejoren la capacidad intelectual de Chile; y por eso no cesaré de emprender la construcción de vías férreas, de caminos, de puentes, de muelles y de puertos, que faciliten la producción, que estimulen el trabajo, que alienten a los débiles, y que aumenten la savia por donde circula la vitalidad económica de la nación.

Discurso del presidente Balmaceda en La Serena, 1889.

En los *puertos* se construyeron malecones y muelles, y en Talcahuano fue levantado el dique seco.

Grandes edificios para establecimientos educacionales, hospitales, intendencias, gobernaciones, etc., surgieron en todas las ciudades del país.

Los servicios de agua potable y adoquinamiento de las calles fueron ampliados en las principales ciudades. En Santiago se canalizó definitivamente el río Mapocho, mediante sólidos tajamares.

El crecimiento de la economía y la prosperidad general facilitaron la formación de *clases sociales*. También influyeron la transformación cultural y las nuevas costumbres.

La antigua aristocracia, pacata y conservadora, ligada a la posesión de la tierra, fue suplantada por una *burguesía* formada en los negocios mineros, el comercio y la banca. Hombres de mucho empuje y decisión en los negocios acumularon capitales y tuvieron gran figuración social. A ellos se sumaron ingleses, alemanes y franceses, que habían llegado como comerciantes a los puertos o a la colonización de los Lagos y la Araucanía, que tenían gran visión en los negocios y contacto con Europa.

La burguesía correspondía al ideal individualista del liberalismo y tuvo el modelo de los ricos empresarios del Viejo Mundo. Les imitó no sólo en la gestión económica, sino también en sus costum-

Gabinete de Balmaceda en sesión.

bres. Aparecieron el *lujo*, los grandes palacios, los carruajes ostentosos, las joyas caras y los grandes bailes de disfraces. El viaje a Europa para participar de alguna manera en el estilo y la vida de la gran burguesía, fue obligado para los chilenos más ricos.

La burguesía sintió también la necesidad de poseer tierras y adquirió numerosas y grandes haciendas, que le daban prestigio y seguridad económica.

La aristocracia tradicional no se cerró frente a la nueva clase, sino que se sumó a ella a través del matrimonio y del negocio en común. Mediante esa fusión se creó una *oligarquía* que no sólo dominó en las empresas económicas, sino también en la política. Pudo disponer de todo el poder.

En forma lenta y debido también a las transformaciones económicas y la ampliación de la educación pública, apareció la *clase media*, aun débil y poco perceptible.

Los grupos obreros en las ciudades y puertos tomaron importancia, comenzando a configurarse un *proletariado*. Inicialmente aparecieron las sociedades de socorros mutuos y luego surgieron sindicatos. Se acentuaron las peticiones de mejores salarios y condiciones en las faenas, llegándose a movimientos huelguísticos significativos.

La Revolución de 1891

LA LUCHA ENTRE EL CONGRESO Y EL PRESIDENTE BALMACEDA

El mayor poder que paulatinamente había ido adquiriendo el parlamento y el choque con las facultades del Presidente, hizo crisis durante el gobierno de Balmaceda.

El Presidente era un hombre de carácter fuerte y orgulloso. No se dejaba dominar y era un celoso defensor de su autoridad. Su gestión gubernativa se vio entorpecida por la constante lucha con los grupos partidistas del Congreso, que le obligaron reiteradamente a cambiar sus ministros.

La oposición criticaba al Presidente su plan de obras públicas, que consideraba un derroche excesivo, y no le perdonaba su autoritarismo. La situación se agudizó cuando surgió la sospecha de que Balmaceda trataría de imponer como sucesor a uno de sus colaboradores.

El Presidente, por su parte, no aceptaba el predominio del Congreso y pensaba que el poder del Ejecutivo debía mantenerse en todo su vigor.

El estado político del país era muy tenso hacia fines de 1890. Balmaceda, sabiendo que el parlamento no aprobaría la ley de presupuesto para el año siguiente, si no designaba un gabinete a gusto de la mayoría parlamentaria, decidió promulgar la misma ley de presupuesto del año que terminaba. Con este acto el Presidente se salía de la Constitución.

El Congreso respondió declarando depuesto al primer mandatario.

DESARROLLO DEL CONFLICTO

La actitud del Congreso fue respaldada por la escuadra, que levó anclas en Valparaíso y se dirigió al norte.

En Iquique se estableció una *junta de gobierno*, cuya tarea principal fue la preparación de un ejército. Para ello contaba con los

Iquique después del bombardeo por la escuadra congresista, abril de 1891.

mineros del desierto y los fondos que le proporcionaba el salitre. Balmaceda contaba con el Ejército del centro y sur del país.

El conflicto debía resolverse por las armas. Las fuerzas del Congreso, embarcadas en transportes y escoltadas por la escuadra, desembarcaron en Quintero y atacaron al Ejército gobiernista en *Concón*, forzando el paso del río Aconcagua. Triunfantes los congresistas, días más tarde debieron librar una nueva batalla en *Placilla*, a espaldas de Valparaíso. Las tropas balmacedistas derrotadas en Concón habían recibido algunos refuerzos y pudieron presentar una línea defensiva. Sin embargo, nuevamente triunfó el ejército del Congreso y esta vez la victoria fue definitiva.

Al conocer la derrota, Balmaceda se asiló en forma secreta en la legación argentina y se suicidó el mismo día que concluía legalmente su mandato.

LA CRISIS DE
LA SOCIEDAD LIBERAL
1891-1920

Presidentes:
Jorge Montt, 1891-1896
Federico Errázuriz Echaurren, 1896-1901
Germán Riesco, 1901-1906
Pedro Montt, 1906-1910
Ramón Barros Luco, 1910-1915
Juan Luis Sanfuentes, 1915-1920

El triunfo del Congreso en 1891 significó establecer un régimen parlamentarista, en que la autoridad del presidente quedó muy disminuida. En cambio, el Congreso entró a jugar una papel preponderante en los negocios públicos, imponiéndole al primer mandatario gabinetes que gozaban de su confianza.

Para implantar el nuevo régimen no fue necesario modificar la Constitución: bastó interpretarla desde un punto de vista parlamentarista.

La situación política creada por los más altos grupos sociales representados en el Congreso, cumplía sus ideales de libertad; pero graves problemas económicos y sociales, que no fueron solucionados, produjeron el derrumbe del sistema.

La economía y la sociedad

Desde la creación de los bancos particulares, que estaban facultados para emitir billetes, se dejó sentir en el país un proceso inflacionista: *el valor de la moneda bajó y los precios de los productos subieron.*

Posteriormente, el Estado efectuó sus propias emisiones de billetes, acelerando aún más la inflación.

Por otra parte, la exportación de salitre sufrió un serio revés por la competencia del *salitre sintético* producido en Europa, que resultaba más barato. Después de la Primera Guerra Mundial (1914-1918) la industria del salitre sintético se afianzó y en Chile la producción del salitre natural sufrió un grave descenso. Se experimentó entonces la llamada crisis del salitre, que se agravaría aún más en la década de 1930.

Terremoto de Valparaíso, 1906.

Estibadores en el puerto de Valparaíso. Entre esos grupos surgió una violenta huelga en 1905, que fue reprimida duramente.

MOVIMIENTO OBRERO

Las concentraciones de obreros y sus organizaciones adquirieron mayor importancia. Aumentó el número de sindicatos y algunos se unieron en organismos mayores, las llamadas *mancomunales*. Diversos líderes, entre ellos Luis Emilio Recabarren, lucharon infatigablemente por la causa proletaria. Las ideas socialistas y anárquicas se difundieron en los centros obreros.

Periódicos obreros de corta vida también señalaron a los asalariados el camino para luchar por sus derechos.

POBREZA Y AGITACIÓN

Las condiciones de vida del pueblo eran miserables. En las ciudades vivían amontonados en *conventillos* insalubres, donde reinaban los vicios, la suciedad y las enfermedades. En los *campamentos mineros*

Faenas de extracción del caliche en el desierto. Las duras condiciones de vida impulsaron el movimiento obrero.

las viviendas eran casuchas de zinc o tabla, que apenas protegían de la intemperie.

El *trabajo* estaba rodeado de peligros y no había protección para el que se accidentaba o enfermaba.

A causa de la inflación, los salarios eran insuficientes y por la carestía de los productos, *el vestuario y la alimentación* eran deplorables.

Debido a estas condiciones, una creciente intranquilidad cundió en el proletariado, que se hizo más fuerte a medida que los problemas económicos del país se acentuaban.

En la primera década del siglo, hubo *huelgas* en Valparaíso y Santiago, que terminaron trágicamente al ser reprimidas por el Ejército y la Marina. El saldo de muertos y de daños materiales fue muy elevado. En Iquique fueron masacrados unos 700 huelguistas salitreros con sus familiares, que se habían albergado en la Escuela Santa María.

LA CLASE MEDIA

Al comenzar el siglo xx este sector social se perfilaba con mayor claridad y llegó a tener un papel muy importante en la vida nacional.

Casas comerciales, tiendas y pequeñas industrias daban empleo a gente de nivel más bien modesto, que pudo así mejorar sus condiciones económicas. La *administración pública* ocupaba a funcionarios que a través de largos años lograban ascender. También el *Ejército* acogía en sus filas a oficiales que subiendo de grado en grado llegaban a ocupar cargos de relativa importancia.

El buen desarrollo alcanzado por la educación pública en todos sus niveles, fue otro factor que contribuyó a mejorar las condiciones culturales de la clase media.

Los *liceos* preparaban a los jóvenes intelectual y moralmente, abriéndoles el paso a la universidad o permitiéndoles desempeñarse en oficinas públicas y privadas. La *universidad* formaba profesionales que constituían los altos grupos de la clase media y que, por lo tanto, con su prestigio podían influir en los asuntos públicos.

En las primeras décadas del presente siglo, la clase media se sentía llamada a *participar en la dirección de la nación.*

Rancho campesino.

177

Fisonomía política

EL PREDOMINIO DEL CONGRESO

El sistema parlamentarista implantado en el país, al reducir la autoridad del presidente, convirtió a éste en una figura más o menos decorativa, que no pudo imprimir rumbo a la marcha del país.

Actividad en el muelle de carga de Punta Arenas.

Defectos del parlamentarismo

Nuestro parlamentarismo, en la forma que se ejercía, era un verdadero mal nacional y había adquirido los caracteres de una calamidad pública. Fui el primero en denunciarlo ante el país con insistente claridad y energía. Era absolutamente imposible gobernar. El presidente de la república estaba reducido a un prisionero ante las exigencias irritantes de los parlamentarios. No había libertad para ningún nombramiento, ni para tomar ninguna resolución sobre cualquier negocio o asunto privativo de las facultades gubernativas, grande o chico, sin la correspondiente exigencia o imposición de uno o más parlamentarios. En el hecho gobernaba el parlamento en forma irresponsable, a la sombra y tras el biombo del Ejecutivo, cargando éste con las responsabilidades y las críticas y censuras de los actos impuestos.

Los ministros, para poder sostenerse y vivir, tenían que ceder, y el presidente de la república, obligado por la necesidad suprema de gobernar, tenía también que ceder en amparo del ministerio.

Desgraciadamente, en la mayoría inmensa de los casos, las imposiciones parlamentarias no se inspiraban en consideraciones patrióticas y de bien público, sino en antecedentes de carácter electoral o en intereses pecuniarios.

Entrevista a Arturo Alessandri.

Como sus ministros debían gozar de la confianza del Congreso, tenían que adecuar su acción según el parecer de la mayoría de esa corporación. Cuando no actuaban así, el Congreso aprobaba un voto de censura y el gabinete debía renunciar.

Esta facultad se prestó para una *permanente lucha política* entre el Ejecutivo y el Congreso y entre los grupos de parlamentarios, que se aliaban o dividían según sus conveniencias. El resultado fue deplorable: la continua caída de los gabinetes, llamada *rotativa ministerial*, entorpeció la gestión gubernativa y en lugar de resolverse los grandes problemas, éstos se agravaron.

LA "CUESTIÓN SOCIAL"

Con este nombre se designaba en la época a los problemas que aquejaban al proletariado y la intranquilidad que reinaba en aquella clase.

A pesar de las huelgas y de la existencia de organizaciones obreras que luchaban por condiciones mínimas de vida y de seguri-

Venta de verduras a comienzos del siglo XX.

dad en el trabajo, los altos grupos sociales que gobernaban el país pretendían ignorar la gravedad de la situación.

Solamente la Iglesia, algunos escritores y personas de buena voluntad, señalaron el problema y aisladamente trataron de buscar una solución. Pero aquello era absolutamente insuficiente.

Tampoco tuvo gran influencia la acción del Partido Demócrata, de creación reciente, ni la transformación ideológica del Partido Radical, formado principalmente por gente de clase media, que hizo suyo el ideal de un cambio social.

Sin embargo, la situación había llegado a un punto crítico y un profundo vuelco político estaba próximo.

EVOLUCIÓN
DEMOCRÁTICA
1920-1970

Presidentes:
Arturo Alessandri, 1920-1925
Emiliano Figueroa, 1925-1927
Carlos Ibáñez, 1927-1931
Juan Esteban Montero, 1931-1932
Arturo Alessandri, 1932-1938
Pedro Aguirre Cerda, 1938-1941
Juan Antonio Ríos, 1941-1946
Gabriel González Videla, 1946-1952
Carlos Ibáñez, 1952-1958
Jorge Alessandri, 1958-1964
Eduardo Frei, 1964-1970

La crisis del régimen liberal y oligárquico abrió paso a la influencia de la clase media y del proletariado, que se tradujo en reformas políticas y sociales. Se procuró, al mismo tiempo, acelerar el desenvolvimiento económico mediante la intervención del Estado en la economía, cuyos mejores logros se alcanzaron en la producción de energía e industrialización.

La democratización se concretó en un robustecimiento del movimiento gremial y mejores niveles de vida, programas de bienestar social, vivienda, salud y educación pública. Esta última se expandió notablemente y el cultivo de las artes y la literatura alcanzó puntos culminantes.

El movimiento político
de 1920

Alessandri era un político de gran inteligencia y hábil oratoria, que sabía arrastrar a las masas. Su espíritu de valiente caudillo quedó demostrado en una elección de senador por Tarapacá, donde obtuvo un duro triunfo sobre un rival conservador. Aquella campaña le valió el apodo de *León de Tarapacá*.

Dotado de especial sensibilidad, supo comprender el problema social y forjar un plan de reformas. Según su pensamiento, para evitar una revolución era necesario abrir paso a la *evolución*.

Así podrían realizarse pacíficamente los cambios que eran necesarios.

Designado candidato a la presidencia de la república por una alianza de partidos que incluía al Liberal, Radical y Demócrata, Alessandri esbozó un *programa gubernativo* muy audaz.

Arturo Alessandri Palma,
gran líder popular
y presidente que abrió paso a las
reformas económicas y sociales.

Ahumada con Agustinas hacia 1920.

En primer lugar, debía restablecerse el *régimen presidencial*, para que el primer mandatario pudiese dirigir realmente la marcha de la nación.

Los problemas del proletariado debían ser resueltos mediante una *legislación del trabajo*, que garantizase los derechos de los obreros. Tribunales especiales deberían resolver los conflictos entre las empresas y sus trabajadores.

En materias económicas, proponía la *estabilización de la moneda* para impedir su desvalorización y una *reforma tributaria* que incluía la creación del impuesto a la renta, para que la gente de mayor fortuna pagase más altos tributos al Estado.

Otros puntos incluían el respeto a la libertad electoral, la igualación jurídica de la mujer, la puesta en vigencia de la Ley de Instrucción Primaria Obligatoria, la separación de la Iglesia y el Estado, etcétera.

El programa de Alessandri tuvo la adhesión ferviente de la clase media y atrajo a las masas laboriosas, que veían en él la concreción de sus esperanzas.

TRIUNFO Y DIFICULTADES EN EL GOBIERNO

Las *elecciones de 1920*, aunque ganadas por estrecho margen, significaron una rotunda victoria sobre la oligarquía y los más altos grupos de la sociedad.

Sin embargo, las ilusiones despertadas por el movimiento pronto se apagaron. La *oposición* efectuada desde el Senado contra los planes del Presidente, impidió resolver los grandes problemas del país, de manera que al cabo de cuatro años la situación no había variado.

El régimen parlamentarista seguía trabando la acción del poder ejecutivo.

La dura situación económica debía producir una crisis política. Mientras el país esperaba que el Congreso despachase una ley que otorgaba fondos para pagar a los empleados públicos y a los militares, cuyas remuneraciones estaban deterioradas por la desvalorización de la moneda, el Senado y la Cámara aprobaron una ley de *dieta parlamentaria*, destinada a pagar los cargos de senadores y diputados.

Este hecho agravó el descontento en el país y entre la oficialidad joven del ejército.

EL MOVIMIENTO MILITAR EN 1924 ABRE PASO
A LAS REFORMAS SOCIALES

Ante la aprobación de la dieta parlamentaria, un grupo de oficiales del Ejército se hizo presente en las galerías del Senado haciendo "ruido de sables". Tal actitud reveló la gravedad de la situación y confirmó el rumor de la existencia de un movimiento militar.

La presión de los militares estaba dirigida contra el parlamento y tendía a respaldar al Presidente en su lucha por imponer las reformas sociales y políticas.

Gracias a los esfuerzos del Presidente y a la presión de los militares, se obtuvo que el Congreso despachara inmediatamente varias *leyes de carácter social*.

Entre dichas leyes se encontraban la de Contratos de Trabajo, Organizaciones de Sindicatos, Tribunales de Conciliación y Arbitraje, Accidentes del Trabajo, Seguro Obrero Obligatorio y Caja de Empleados Particulares.

La promulgación de las leyes sociales marca un hito en la historia del país. Por primera vez se abordó en forma decidida una *política integral a favor de los obreros y empleados*. Desde entonces los sectores asalariados quedaron protegidos en sus relaciones con los patrones y las empresas, se les aseguró contra accidentes y enfermedades y se les garantizó el derecho de jubilar.

Mediante dichas leyes, que fueron complementadas en los años siguientes, el país se colocó a la cabeza de la legislación social americana.

Después de la dictación de las leyes sociales, Alessandri, sintiéndose suplantado por los militares, presentó la renuncia de su cargo; pero el Congreso en lugar de aceptársela le concedió permiso para ausentarse del país. En esa forma se alejó rumbo a Europa.

LA CONSTITUCIÓN DE 1925

Una junta militar y otra de carácter civilista se sucedieron en el gobierno. Esta última, representando el parecer de la opinión pública, solicitó a Alessandri que retornase para que tomase el poder y restableciese la normalidad institucional.

El Presidente regresó triunfalmente y se decidió a preparar la reforma constitucional que demandaba la nación para poner término al régimen parlamentarista.

Una *Comisión Consultiva* integrada por representantes de los partidos y de diversas instituciones elaboró un proyecto de reformas a la Constitución, que fue ratificada por un *plebiscito*.

Las siguientes fueron las principales disposiciones:

a) Se suprimió la atribución del Congreso de dictar periódicamente las leyes que autorizaban el cobro de las *contribuciones* y para mantener en pie las *fuerzas armadas*. Las leyes sobre esas materias serían permanentes.

b) Para la tramitación anual de la *ley de presupuesto* se dio un plazo fijo al Congreso.

c) El período presidencial fue aumentado de 5 a 6 años.

d) La calificación de las elecciones, que había sido atribución del Senado y la Cámara, ahora quedó entregada a un organismo autónomo denominado *Tribunal Calificador de Elecciones*.

e) Se estipuló la *separación de la Iglesia y del Estado*, poniendo fin, de esta manera, a las viejas luchas de creyentes y no creyentes.

f) Entre las disposiciones más notables, reveladoras del nuevo espíritu, se encuentra la que estableció que el Estado garantizaría "la *protección al trabajo, a la industria y a las obras de previsión social*, especialmente en cuanto se refieren a la *habitación sana* y a las *condiciones económicas de la vida*, en forma de proporcionar a cada habitante un mínimo de bienestar; adecuado a la satisfacción de sus necesidades personales y a las de su familia".

También el Estado propendería a la división de la propiedad y a la constitución de la propiedad familiar.

g) El *derecho de propiedad*, que hasta entonces no había tenido restricciones, quedó sujeto a las reglas que exigiese el progreso del orden social.

La reforma de la Constitución efectuada en 1925, significó, en realidad, crear un código nuevo por su espíritu y por el significado

Carlos Ibáñez del Campo,
militar hosco y enigmático.

que tuvo en la vida de la nación. La *independencia del Poder Ejecutivo y del Poder Legislativo* quedaron bien marcadas y desde entonces el presidente pudo gobernar con *amplias atribuciones*.

ANARQUÍA

La promulgación de la Constitución de 1925 no puso término a los problemas políticos, que derivaban de choques sociales e ideológicos. Contribuyó, también, a alterar la estabilidad, la intromisión de los militares en la política.

El coronel Carlos Ibáñez provocó la caída del presidente Emiliano Figueroa. Elegido para el más alto cargo, gobernó durante algún tiempo dentro de la legalidad; pero luego se transformó en dictador, atropelló la legalidad y persiguió a los opositores. Finalmente, a causa de un paro general de todos los sectores de la vida nacional, debió abandonar el poder.

La inestabilidad política no desapareció. Una sublevación debió ser sofocada por la fuerza Aerea y el Ejército. Más adelante el presidente Juan Esteban Montero, elegido democráticamente y que representaba la reacción civilista, fue derrocado por la aviación y fuerzas de infantería. Una junta de tendencia socialista lo reempla-

Manifestación pública espontánea a raíz de la caída de Ibáñez.

zó, hasta que uno de sus miembros, Carlos Dávila, asumió el poder y prescindió de sus colegas. Los "cien días de Dávila" fueron fecundos en iniciativas, pero reinaba el caos y la incertidumbre, y aquel caudillo debió abandonar el mando. Las aspiraciones civilistas y el deseo de orden se impusieron y el mismo elemento militar comprendió que había que restablecer la legalidad.

En 1932 fue elegido presidente Arturo Alessandri y a él le correspondió asegurar el régimen constitucional y tomar medidas económicas para regularizar la situación de la hacienda pública. Sacó al país de la profunda postración en que lo había sumido la crisis económica iniciada en 1929 y la crisis política de los años 31 y 32.

Término de los cuartelazos

Los incidentes entre militares y civiles de Santiago prueban el cansancio y el odio del elemento civil por la participación de las instituciones armadas en la política del país. La guarnición de Santiago, que no representa la opinión de todo el Ejército, es culpable de la inestabilidad de los gobiernos, del estado desastroso del país y del desprestigio que hemos conquistado en el extranjero. El sentir patriótico del personal de la I División del Ejército, que hasta hoy no se había manifestado a U.S., a pesar de que en Santiago se procede a nombre de todo el Ejército, abandona un momento sus tareas profesionales para decir a U.S. que comparte con el elemento civil ese malestar intenso, que es precursor de grandes desgracias nacionales, y que U.S. quiera hacer presente a la guarnición de Santiago las siguientes consideraciones: a) Que repudia enérgicamente toda intromisión del Ejército en la dirección del gobierno y que, en consecuencia, no presta su apoyo a ninguna actividad militar en la política del país; 2) Que su anhelo más ardiente es que se restablezca rápidamente el orden constitucional para que un gobierno civil dirija las próximas elecciones, con amplio derecho y libertad; 3) Que la guarnición de Santiago, recobre su prestigio ante nuestros hermanos civiles, prescindiendo en absoluto de su intromisión en la política de este pobre país, que vive sobre un montón de harapientos y cesantes desnudos, todas sus actividades productivas paralizadas por la inestabilidad de los gobiernos revolucionarios; 4) Que el personal de la I División del Ejército desea intensamente la tranquilidad pública interna, la unión de todas las actividades nacionales en bien de nuestro pueblo, la mordaza para las pasiones, para los intereses egoístas, estableciendo cuanto antes la constitucionalidad.

Telegrama del general Pedro Vignola al Comandante en Jefe del Ejército. Antofagasta, 1932.

El reformismo democrático

Una nueva etapa se inició en 1938 al llegar a la presidencia Pedro Aguirre Cerda como candidato del Frente Popular, un conglomerado de partidos de izquierda y centro. Fue el primer Presidente de la República del Partido Radical.

Don Pedro Aguirre Cerda gozó de gran popularidad y fue resistido por la oligarquía.

El triunfo de Aguirre Cerda representaba el propósito de impulsar una política social que mejorase la situación de los sectores más modestos. La preocupación por los obreros y los empleados permitió que se robusteciesen los sindicatos y las organizaciones nacionales que los agrupaban.

El mayor énfasis del gobierno de Aguirre Cerda y de los que le siguieron residió en el fomento de las actividades económicas. Para ello el Estado creó empresas propias dotadas de fuertes capitales y financiadas con préstamos extranjeros. De esta manera, el Estado entraba a participar decisivamente en la vida económica, porque las empresas privadas por sí solas no bastaban para desarrollar la economía nacional.

Aguirre Cerda fue sucedido por Juan Antonio Ríos y Gabriel González Videla que continuaron su política y pudieron realizar importantes adelantos hacia el desarrollo social y económico.

A su vez, fueron sucedidos por Carlos Ibáñez, que careció de programa definido, pero que capitalizó el descontento contra los abusos de la política. Le siguió Jorge Alessandri, que encabezó un gobierno favorable a la derecha y los intereses de las empresas económicas.

En 1964 fue elegido Eduardo Frei Montalva, del Partido Demócrata Cristiano, que bajo la influencia de la doctrina social de la Iglesia intentó dar mayor participación a los sectores más desposeídos. Emprendió la reforma agraria, efectuó la chilenización de las grandes compañías del cobre e impulsó una reforma educacional.

Tras el desarrollo económico

LA CRISIS DEL SALITRE

El espectacular desarrollo de la minería del salitre y de la riqueza que proporcionó al país comenzó a hacer crisis en la segunda década del presente siglo.

El consumo mundial alcanzó un límite que era difícil de sobrepasar. Algunas naciones buscaban la forma de reemplazarlo y experimentaban para fabricarlo artificialmente.

La Primera Guerra Mundial (1914-1918) fue decisiva para la decadencia de la industria salitrera: Alemania, que estaba aislada por la guerra, debió impulsar la producción de salitre sintético y concluido el conflicto otras naciones hicieron lo mismo.

La exportación del salitre comenzó a bajar desde entonces y también descendió su precio en el mercado mundial.

Durante el primer gobierno de Arturo Alessandri la situación de la minería del salitre llegó a ser dramática. Las compañías que explotaban yacimientos debieron disminuir los trabajos y diversos establecimientos fueron cerrados.

Numerosos obreros fueron despedidos, produciéndose una grave cesantía y, por consiguiente, un problema social.

Con el descenso de la exportación del salitre disminuyó al mismo tiempo la cantidad de dinero que recibía el Estado por los impuestos de exportación que pagaba el salitre.

Por primera vez el país experimentaba una crisis tan aguda. La gran riqueza del salitre comenzaba a disminuir y concluía la holgura económica que había favorecido a los grupos adinerados.

LA CRISIS DE 1929

Una segunda crisis, más grave que la primera, azotó al país en 1929 y los años siguientes. Fue la consecuencia de una crisis que afectó a todos los países del mundo y que se originó en las grandes naciones europeas y Estados Unidos.

La minería del salitre fue otra vez la más afectada; pero todas las actividades económicas del país se resintieron gravemente.

La desocupación en la región salitrera alcanzó proporciones catastróficas y grandes grupos de obreros cesantes debieron ser trasladados al centro del país. Fue necesario que el Estado proporcionase alimentación diaria a la masa de desocupados.

Tan grande fue la crisis que sus efectos se dejaron sentir por muchos años. Al país se le creó una situación económica difícil de resolver. Los productos que Chile exportaba, como el salitre y otros, bajaron considerablemente de precio. Esto significó que el país contara con poco dinero para comprar en el extranjero los productos industriales que necesitaba, como maquinaria, vehículos de transporte, herramientas y los alimentos que no se producen en Chile.

RESURGIMIENTO DEL COBRE

La minería del cobre, que había tenido importancia en el pasado, comenzó a desarrollarse nuevamente desde los primeros años del siglo actual.

La creciente necesidad de cobre para uso industrial en todo el mundo, estimuló a algunas empresas norteamericanas para buscar yacimientos de ese metal en Chile. De esa manera se comenzaron a explotar los minerales de El Teniente, Potrerillos y Chuquicamata, siendo este último el más importante.

Las nuevas minas requirieron de grandes inversiones de capital y fueron equipadas con maquinaria muy moderna.

El cobre llegó a reemplazar al salitre como principal producto de exportación. Los impuestos pagados por su exportación constituyeron el mayor ingreso del Estado.

LA TRANSFORMACIÓN DEL TRANSPORTE Y LA CIUDAD

En los cincuenta años de la primera mitad del siglo XX ocurrieron cambios significativos en los medios de transporte, tanto de carga como de pasajeros.

*Ministerio de Hacienda y Hotel Carrera. En la década de 1930 la capital
comenzaba a tomar un aspecto moderno.*

La modernización fue posible por una mejor técnica en el uso
del carbón y del vapor, pero los cambios más importantes se debieron al empleo de la electricidad y del petróleo.

Nuevas máquinas, como las locomotoras eléctricas y a petróleo,
el automóvil, el camión y el avión, revolucionaron el transporte. Se
ganó en capacidad de carga y en velocidad.

Las ciudades cambiaron también su fisonomía. En ellas tuvo
gran importancia el uso del cemento en los edificios, las casas y el
pavimento; la electricidad se extendió como medio de iluminación,
mientras el teléfono y la radio facilitaban las comunicaciones. El
transporte urbano dejó de lado los coches y tranvías tirados por
caballos, que fueron reemplazados por tranvías eléctricos, buses y
automóviles.

Importantes trabajos para el suministro de agua potable y redes
de alcantarillado, proporcionaron mayores comodidades a la población.

Después de la crisis sufrida por el salitre y la crisis general de 1929, los diversos gobiernos procuraron solucionar la situación económica del país.

Correspondió al gobierno de Pedro Aguirre Cerda iniciar planes sistemáticos de largo aliento, que debían ser realizados por el Estado. Esos planes fueron ciudadosamente elaborados, empleándose profesionales y técnicos especialmente capacitados para llevarlos a la práctica.

Solamente la poderosa acción del Estado, que podía disponer de grandes capitales y capacidad organizativa, podía transformar la economía del país.

Un organismo técnico, la Corporación de Fomento de la Producción, conocida como CORFO, fue el encargado de planificar y llevar a efecto los diversos proyectos. Gracias a sus esfuerzos se impulsaron las actividades que siguen.

a) Se estudió un plan de electrificación destinado a superar la deficiencia de producción de electricidad. Con ese fin se creó la Empresa Nacional de Electricidad, ENDESA, que con el correr de los años logró eliminar la deficiencia.

Numerosas centrales hidroeléctricas y algunas termoeléctricas se levantaron a lo largo del país y se comenzó a interconectar toda la red de suministro.

Gracias a la excelente planificación, que tomaba en cuenta el aumento futuro del consumo, el país contó desde entonces con la electricidad necesaria. De esta manera, el desarrollo industrial contó con la energía suficiente.

b) La necesidad de combustible era un grave problema para el país, pues había que comprarlo en el extranjero a alto precio.

La CORFO impulsó la búsqueda de petróleo en Tierra del Fuego, sin resultado durante algunos años; pero en 1945 brotó el preciado combustible en Manantiales.

Para enfrentar trabajos de mayor envergadura se creó un organismo especializado, la Empresa Nacional de Petróleo, ENAP. Gracias a sus esfuerzos se amplió la producción del petróleo y sus

Empresa Nacional de Petróleo. Plataforma en el estrecho de Magallanes.

derivados, como asimismo del gas licuado. Posteriormente la ENAP creó refinerías para elaborar los diversos derivados.

La producción nacional de petróleo fue insuficiente para cubrir las necesidades del transporte y de la industria, por lo que fue necesario continuar la importación. En todo caso el petróleo nacional fue importante en el desarrollo económico.

c) Para alcanzar la industrialización del país era necesario producir acero. La existencia de minerales de hierro en la región de La Serena y de carbón en Arauco, creaba buenas condiciones para establecer una planta siderúrgica.

La encargada de llevar adelante el proyecto fue la CAP, Compañía de Acero del Pacífico, que estableció en la bahía de San Vicente, cerca de Concepción, la gigantesca planta de Huachipato.

La producción de acero significó un notable adelanto y gracias a ella muchas industrias pudieron comenzar a fabricar artefactos modernos.

d) La minería del cobre también mereció alguna preocupación en los nuevos planes. Con el fin de ayudar a los medianos y pequeños productores del país se construyó en las cercanías de Copiapó la

Eduardo Frei Montalva,
político y presidente
que impulsó toda
clase de reformas.

fundición de Paipote, dependiente de la ENAMI, Empresa Nacional de Minería.

Además de las medidas mencionadas la CORFO promovió otras actividades de menor importancia. También apoyó la aplicación y creación de nuevas industrias por parte de los particulares, prestándoles ayuda técnica y sirviéndoles de garantía para obtener créditos en el extranjero.

De tal manera, la acción del Estado fue fundamental en la transformación de la economía al promediar el siglo presente.

Con posterioridad, especialmente durante el gobierno de Eduardo Frei Montalva se llevaron a cabo tres importantes medidas económicas. Se efectuó la "chilenización" de la Gran Minería del Cobre, quedando el Estado con participación mayoritaria dentro de cada compañía, a la vez que se acordaron planes de ampliación y modernización que luego incrementaron notablemente la producción del metal rojo. En una etapa más avanzada se procedió a expropiar la parte que restaba a las compañías, quedando el Estado

El terremoto de 1939 en Chillán,
la peor catástrofe humana ocurrida en Chile.

como único propietario. Un organismo especializado, CODELCO, se hizo cargo de aquellas empresas y de la comercialización del cobre.

En cuanto a la agricultura, una amplia Reforma Agraria fue puesta en práctica en medio de fuertes tropiezos. Su objeto fue terminar con los latifundios mal explotados y dar participación a los campesinos en el manejo de la tierra. Se impulsó la producción de algunos rubros como el cultivo de la remolacha azucarera y un organismo estatal, IANSA, se encargó de producir azúcar. El crédito agrícola y la asistencia técnica también experimentaron un adelanto.

Bajo el amparo del Estado y de una política proteccionista, se desarrollaron numerosas industrias particulares, como la metalmecánica, la de productos de la línea blanca, la de celulosa, la de plástico, la automotriz y la pesquera.

Las obras públicas, caminos, aeródromos, puertos y construcción de viviendas, reflejaron el cambio económico, a la vez que las mejores remuneraciones y el nivel de vida en los sectores asalariados denotaban una nueva situación.

La transformación social

LA CLASE MEDIA

Las nuevas condiciones existentes en el país se reflejaron ampliamente en la sociedad, realzando en forma especial la presencia de la clase media y del sector obrero.

La clase media, que ya constituía un elemento con relieve, acusó su fuerte influencia desde el poder. Fue favorecida por la ampliación de las funciones del Estado y la orientación social de la política. Formó parte de una nutrida burocracia con poder de decisión, que impulsó la nueva política económica y social y mantuvo el respeto por la democracia y el derecho.

Su nivel de vida mejoró considerablemente y llegó a ser uno de los mayores sectores de la población por la movilidad social ascendente. Incluía a profesionales, empleados, técnicos e intelectuales.

LA CLASE OBRERA Y LOS CAMPESINOS

El desenvolvimiento económico a través de los centros de producción, minería, industria y construcción, permitió el aumento de las masas obreras, elevar su condición material y cohesionar sus luchas sindicales y políticas.

Los sindicatos lograron ventajas en sus demandas, especialmente en las remuneraciones, aunque éstas se deterioraban aceleradamente por la inflación. El derecho de huelga fue el recurso empleado para obtener beneficios.

Sindicatos de una misma actividad formaron confederaciones mayores y hubo organizaciones como la CTCH y CUT o Central Única de Trabajadores, que durante algún tiempo tuvieron éxito como organismo que unificaban todo el movimiento obrero.

En el área rural los campesinos no experimentaron cambios, aunque la influencia de la ciudad penetró en alguna medida en las costumbres y el empleo de nuevos bienes materiales. Hacia fines de la época, la autorización para formar sindicatos repercutió en las regiones menos apartadas y la Reforma Agraria intentó redistribuir la propiedad de la tierra y mejorar la condición del campesinado.

OTROS CAMBIOS SOCIALES

El crecimiento urbano constituyó un fenómeno destacado. Santiago creció de manera desmesurada y en proporción menor la conurbación Valparaíso-Viña del Mar y Concepción.

Esa transformación se ha debido a la expansión industrial, comercial y administrativa; pero también es consecuencia del atractivo de la vida urbana. La ciudad fascina al hombre de campo y con ello se crea un nuevo problema: la falta de fuentes de trabajo mantiene a amplios sectores en la pobreza, produciéndose el fenómeno de la *marginalidad*. En la periferia de las ciudades aparecieron las poblaciones callampas, que constituyeron un grave problema social.

La política habitacional, promovida intensamente por el Estado, y concretada en extensas poblaciones para obreros y edificación para empleados, no logró solucionar un problema persistente.

En otro orden de cosas, tomó importancia *el papel de la mujer*, no ya en las labores del hogar, sino en el trabajo y la vida pública. La difusión de la enseñanza y la necesidad de aumentar las entradas familiares fueron los factores determinantes. Las carreras universitarias han tenido gran concurrencia de mujeres, que luego se desempeñan como profesionales.

La mayor capacidad de la mujer le abrió paso a los derechos políticos, en los que ha demostrado un espíritu moderado.

LA INQUIETUD CULTURAL

El sólido desarrollo educacional del siglo XIX, logrado gracias al estado docente, y la madurez cultural del movimiento intelectual, prepararon los frutos que se obtendrían en el siglo actual.

La difusión de la Educación Primaria (básica), mediante la creación de numerosas escuelas públicas, y la obligatoriedad de ella según ley de 1920, elevó el nivel general de la cultura, aun cuando muchos niños de los sectores modestos no concurren a las escuelas.

Gabriela Mistral.

También hubo un desenvolvimiento de la Educación Secundaria (media) a través de la enseñanza de los liceos y de numerosos colegios privados.

En el nivel superior, la Universidad de Chile modernizó y amplió sus actividades, poniendo énfasis en la investigación en el campo de las humanidades (historia, literatura, lingüística, etc.) y en el de las ciencias naturales. Otras instituciones superiores, como la Universidad Católica de Chile, la de Concepción y la Universidad Técnica del Estado (actual Universidad de Santiago), contribuyeron principalmente a la docencia.

Dentro de la actividad intelectual, a los estudios tradicionales de tipo humanístico, se agregaron los de ciencias sociales, especial-

Pablo Neruda.

mente los de economía y sociología. Pero donde realmente se han alcanzado éxitos sobresalientes ha sido en el campo de la literatura y el arte.

En la poesía se destacaron a nivel mundial Gabriela Mistral y Pablo Neruda, que merecieron el Premio Nobel de Literatura. El mayor éxito ha correspondido a Neruda, cuyas numerosas obras, llenas de ricas expresiones y de imágenes sugerentes, han merecido infinidad de ediciones y traducciones a diversos idiomas.

En la novela fueron significativos los nombres del criollista Mariano Latorre, Eduardo Barrios y Manuel Rojas. Sobresaliente por su originalidad y agudeza fue la obra literaria de Juan Emar, que permaneció casi desconocida y ha venido a editarse mucho después.

Gracias a las tareas de extensión cultural iniciadas por la Universidad de Chile y seguidas luego por las otras universidades, el teatro y la música lograron excelente calidad. El Teatro Experimental de la Universidad de Chile puso en escena las obras antiguas y modernas más famosas. La Orquesta Sinfónica, el Coro y el Ballet de la misma universidad desde entonces han brindado excelentes conciertos y representaciones con la actuación de artistas chilenos y extranjeros de renombre.

REORIENTACIÓN NACIONAL

Presidentes:
Salvador Allende, 1970-1973
Augusto Pinochet, 1973-1990
Patricio Aylwin, 1990-1994
Eduardo Frei Ruiz-Tagle, 1994

En la segunda mitad del siglo xx el mundo vivió profundamente dividido entre la ideología democrática, representada por los Estados Unidos, los países de Europa occidental y Latinoamérica y, por otra, la tendencia marxista integrada por la Unión Soviética, China y países satélites de Europa oriental y el Asia. Entre ambos bloques se libró la "guerra fría" o lucha de influencias y presiones para imponerse.

En nuestro continente, la Revolución Cubana dirigida por Fidel Castro, se incorporó a la órbita soviética y procuró llevar la revolución marxista a otros países.

Esos hechos influyeron en Chile y dieron impulso a los partidos de izquierda y a grupos revolucionarios y violentistas.

Posteriormente, alrededor del año 1990 los países marxistas entraron en crisis por el fracaso de sus planes económicos y sociales y el abuso de sus gobiernos dictatoriales. Las naciones de Europa oriental se separaron del sistema marxista y la Unión Soviética se desintegró, dando lugar a diversos estados que se orientaron hacia la democracia.

Desaparecía de ese modo el antagonismo entre democracia y marxismo, que había marcado el trayecto del siglo.

Salvador
Allende Gossen.

ANTAGONISMO VIOLENTO

Bajo la ilusión de una próxima revolución, el Partido Comunista y el Socialista habían avanzado paulatinamente en la vida nacional, a la vez que agrupaciones extremistas, como el MIR, inducían a la *violencia revolucionaria*. El temor y el desconcierto reinaban en el país.

Las fuerzas políticas de izquierda llevaron a la presidencia a *Salvador Allende* por estrecho margen el año 1970, y arrastraron a la nación a modalidades orientadas a imponer el socialismo marxista. El gobierno procuró mantener una imagen de respeto al derecho y la tradición institucional, con el apoyo prudente del Partido Comunista, pero no pudo contener a los socialistas y a los grupos extremistas que lo apoyaban y se produjeron situaciones caóticas. La economía sufrió un deterioro acelerado, se perdió la convivencia social y el sistema jurídico fue amagado seriamente, atropellándosele en forma sistemática.

En septiembre de 1973 la situación era muy confusa. La oposición se manifestaba dura desde el Congreso Nacional y la prensa. La mayoría ciudadana expresaba su descontento y la acción de algunas confederaciones gremiales, como la de transportistas y la de obreros del cobre, desafiaban abiertamente a la autoridad.

Mediando esas circunstancias, las fuerzas armadas decidieron intervenir y con un *golpe de Estado* depusieron violentamente al gobierno. Allende se suicidó en La Moneda al comprender que la resistencia era inútil.

Tomó el mando una junta de gobierno presidida por el general *Augusto Pinochet*, quien luego asumió el título de presidente de la república. La Constitución de 1925 fue suprimida y también el Congreso Nacional; los partidos políticos fueron dejados en receso.

La dictadura militar duró más de dieciséis años. Su primera tarea fue consolidar el régimen que se iniciaba. Los grupos de izquierda fueron perseguidos drásticamente, y sus miembros aprisionados, torturados y exiliados. Más de 3.000 fueron ejecutados. Organismos secretos de las fuerzas armadas y carabineros, como la CNI, actuaron sin restricciones.

La violación de los derechos humanos provocó reacciones en todo el mundo y el país fue aislado por la comunidad internacional. El elemento obrero y los sindicatos fueron deprimidos, mientras se favorecía a las grandes empresas económicas nacionales y extranjeras.

Dentro de los organismos armados hubo posiciones encontradas. El Ejército y la Marina fueron incondicionales; la Fuerza Aérea estuvo en desacuerdo con el personalismo de Pinochet y las medidas más represivas, y su Comandante en Jefe, general Gustavo

Augusto Pinochet Ugarte.

Bombardeo de la Moneda, 1973.

Leigh, fue obligado a renunciar por el gobierno. El cuerpo de carabineros fue más complaciente y obtuvo diversas ventajas.

Una Constitución estudiada por el gobierno y sometida a plebiscito, fue aprobada el año 1980. Ella acogió aspectos modernos de la vida pública y, al mismo tiempo, mediante diversos mecanismos, aseguró la influencia futura de las fuerzas armadas y de los partidos de derecha identificados con ellas.

Los fondos del Estado favorecieron ampliamente a las fuerzas armadas durante la dictadura, mientras se redujeron los gastos en educación y salud, estos últimos en forma alarmante. En un comienzo se prestó muy poca atención a las obras públicas y vivienda. La Empresa de los Ferrocarriles del Estado careció de apoyo y se deterioró gravemente.

La anterior concepción estatista y la participación de las grandes empresas del Estado, que habían logrado impulsar el desenvolvimiento general y mejores niveles de vida, fue distorsionada hasta la exageración por el gobierno de Allende. Con sentido populista se alzaron sueldos y salarios, desatándose una fuerte inflación: había dinero, pero los precios subían y escasearon todos los productos, hasta los alimentos esenciales.

La Reforma Agraria fue acelerada y se nacionalizaron las empresas extranjeras de la gran minería del cobre, sin derecho a indemnización. Los bancos fueron intervenidos. Fueron expropiadas industrias grandes y pequeñas valiéndose de la ocupación por sus obreros y apoyándose en *resquicios legales*.

Existía una situación caótica y la mayor incertidumbre.

La caída económica durante el gobierno de Allende provocó una dura escasez de productos.

La economía del liberalismo, que se creía sepultada hacía setenta años, reapareció y se consolidó con el gobierno de Pinochet.

Sin tener un concepto propio de la economía, los militares la dejaron en manos de los Chicago boys, un grupo de economistas formados en la Universidad de Chicago, que eran partidarios del libe-

---

La primera denuncia pública

Nos preocupa, en primer lugar, un clima de inseguridad y de temor, cuya raíz creemos encontrarla en las delaciones, los falsos rumores y en la falta de participación y de información.

Nos preocupan también las dimensiones sociales de la situación económica actual, entre las cuales se podrían señalar el aumento de la cesantía y los despidos arbitrarios o por razones ideológicas. Tememos que por acelerar el desarrollo económico, se esté estructurando la economía en forma tal que los asalariados deban cargar con una cuota excesiva de sacrificio, sin tener el grado de participación deseable.

Nos preocupa que se esté integrando y orientando integralmente el sistema educacional, sin suficiente participación de los padres de familia y de la comunidad escolar.

Nos preocupa, finalmente, en algunos casos, la falta de resguardos jurídicos eficaces para la seguridad personal, que se traducen en detenciones arbitrarias o excesivamente prolongadas en que ni los afectados ni sus familiares saben los cargos concretos que los motivan, en interrogatorios con apremios físicos o morales; en limitación de las posibilidades de defensa jurídica; en sentencias desiguales por las mismas causas en distintos lugares; en restricciones para el uso normal del derecho de apelación.

Carta pastoral de la Iglesia Chilena, 24 de abril de 1974.

---

ralismo más ortodoxo. Debía favorecerse el interés de los empresarios y de las empresas privadas, para fomentar la inversión nacional y extranjera. Esa política sería en provecho de los altos sectores sociales, pero algún día beneficiaría a los más desfavorecidos.

El gobierno pagó a las compañías extranjeras por la expropiación que se había hecho de las minas y estimuló nuevas explotaciones por capitales del exterior. Devolvió los *bancos* a su antiguos propietarios y se hizo cargo de las deudas de ellos, pagándolas con dineros de todos los chilenos. También devolvió las *industrias* y los

Vida en una población pobre

Cuando uno conoce los ingresos familiares y, por otro lado, los precios de los alimentos básicos, uno se pregunta, ¿cómo puede la gente seguir viviendo? Y más allá de la supervivencia física, biológica, ¿cómo puede seguir haciendo bromas, riendo y cantando? Es decir, ¿cómo puede mantener una vida "humana"? ¿Cómo la gente es capaz de compartir "lo que no tiene"? ¿Cómo puede la señora hacerse cargo de los niños de la vecina hospitalizada? ¿Cómo puede el trabajador arriesgar su puesto de trabajo por defender el derecho de sus compañeros? ¿Cómo son capaces los cesantes y demás vecinos de esa población que mencionaba, de inventar cosas increíbles? Porque juntan palos y deshechos, y en invierno desde las 6 de la tarde hasta las 10 de la noche, hacen fogatas en las esquinas, no sólo para las protestas sino todas las noches. Y allí se juntan los vecinos, y se calientan un poco, cuentan chistes y cantan, comentan la situación, improvisan poesías y pequeñas representaciones... Es decir, abren juntos un espacio de cuatro horas de vida humana. ¿Cómo son capaces —en esas condiciones— de cantar y bailar, de reflexionar juntos, de crear? Es un verdadero milagro.

Ronaldo Muñoz, *Dios de los cristianos*, 1988.

Mural en la población La Victoria. Un modo de expresión popular.

fundos expropiados por la Reforma Agraria y vendió a poderosos grupos económicos, a bajos precios, diversas empresas del Estado. Era una política de privatización.

En materia de previsión social, atención médica y jubilación, el Estado traspasó esas funciones a empresas privadas, las Isapres y las Afp.

Antes que la política liberal comenzara a dar resultados, hubo un empobrecimiento en los sectores medios y bajos. Una aguda cesantía expandió los niveles de miseria y se incrementó la violencia y la delincuencia a límites desconocidos hasta entonces.

Hacia fines de la década de 1980 la economía entró en un período de mayor holgura y durante los gobiernos de Aylwin y Frei Ruiz-Tagle ha llegado a un franco desenvolvimiento gracias al equilibrio de los aspectos macroeconómicos.

Ha seguido favoreciéndose la inversión de capitales de dentro y fuera del país, ha habido aumento de la exportación, ha bajado la inflación y se ha mantenido el valor de la moneda.

El presupuesto ha sido reorientado para invertir y gastar más en educación, salud, vivienda y obras públicas. Sueldos y salarios han aumentado moderadamente su valor real.

Patricio
Aylwin Azócar.

La empresa privada, favorecida por la política económica, ha mostrado capacidad organizativa y un espíritu muy dinámico. Han tomado importancia las compañías destinadas a los rubros de minería, celulosa, papel, fruta, electricidad y telecomunicaciones. Bajo las nuevas circunstancias, han aumentado sus capitales y sus ganancias.

Los altos sectores de la sociedad han sido los más favorecidos con la riqueza, se ha acentuado el lujo y el gasto superfluo. La oferta de bienes caros, que no se justifican, ha desarrollado el *consumismo* y ni siquiera ha escapado, en un nivel más modesto, la baja clase media. En tal situación, subsisten sectores de extrema pobreza.

LA TRANSICIÓN

El descontento contra el gobierno militar creció día a día y, a pesar de las dificultades, los sectores de oposición expresaron sus críticas.

Eduardo Frei Ruiz-Tagle.

Esta situación determinó que se llamase a un plebiscito para decidir si Pinochet debería seguir en la Presidencia o llamar a elecciones. La consulta fue ganada por la oposición y debió llamarse a elecciones resultando elegido Patricio Aylwin. Finalmente, se llamó a elecciones, resultando elegido por amplia mayoría *Patricio Aylwin* de la democracia Cristiana, que unía a su larga experiencia política la habilidad requerida en momentos tan difíciles.

Aylwin asumió en 1990 y gobernó por cuatro años. Su principal tarea fue abrir paso a la transición y lograr la convivencia entre todos los sectores, alcanzando pleno éxito en ello. Se normalizaron las relaciones internacionales y el país recobró su prestigio ante todas las naciones.

La gestión del gobierno se vio complicada por la continuación de Pinochet como jefe del Ejército y la presencia de sus partidarios en el Congreso, que impidieron hacer justicia por la violación de los derechos humanos y efectuar reformas constitucionales que permitiesen una vida realmente democrática.

En el plano económico, las obras públicas, la construcción y la exportación de productos tuvieron una franca expansión.

Aylwin fue sucedido por Eduardo Frei Ruiz-Tagle en 1994, habiendo logrado una muy alta votación. La intención de su gobierno ha sido dar por superado el antagonismo con las fuerzas armadas mediante actitudes condescendientes con ellas. Se ha puesto énfasis en la tarea educacional, la salud y las obra públicas, como elementos fundamentales del desarrollo y su sentido social.

Gracias a nuevas inversiones, la actividad económica se va desarrollando notablemente.

Las modernas comunicaciones nos han acercado a los problemas del mundo.

Educación y cultura

LA CULTURA CONTROLADA

Desde las décadas de 1950 y 1960 se había desarrollado un activismo político en las universidades y en la Educación Media, protagonizado por estudiantes de izquierda y centro.

El gobierno militar intervino las universidades, redujo a la Universidad de Chile y a la Técnica del Estado, y persiguió a quienes eran contrarios a su ideología. A la vez, se autorizó la creación de numerosos institutos superiores, universidades particulares de grupos económicos e ideológicos cercanos al gobierno, la mayoría de ellos sin solvencia intelectual ni equipamiento adecuado. Para aliviar el presupuesto fiscal, liceos y escuelas fueron traspasados a las municipalidades que carecían de experiencia educacional y recibieron una subvención del Estado. Los profesores fueron perseguidos y vigilados, se deterioraron sus derechos y sus remuneraciones.

La labor de los intelectuales y artistas fue vigilada y se produjo lo que se llamó el *apagón cultural*.

LIBERTAD CULTURAL

Al reiniciarse los gobiernos democráticos las universidades recuperaron su autonomía. La Educación Básica y Media han recibido una atención especial mediante innovaciones técnicas destinadas a obtener un mejor rendimiento y se han aumentado considerablemente los fondos destinados a ellas. La cultura experimentó un nuevo impulso gracias a la labor espontánea de escritores y artistas en lo que se denominó *primavera cultural*. Importantes iniciativas del gobierno de Aylwin favorecieron la creación artística y la edición de libros. Se reinició la adquisición de libros para la Biblioteca Nacional y las bibliotecas públicas de todo el país, que se había reducido a cantidades insignificantes durante el gobierno militar.

Torre ENTEL. Las comunicaciones se desarrollaron notablemente.

Problemas del ambiente

EXPLOTACIÓN DE ESPECIES NATURALES

El desenvolvimiento económico y el crecimiento de las ciudades han deteriorado el medio ambiente.

La libertad concedida a las empresas nacionales y extranjeras ha permitido que éstas intensifiquen la explotación de los recursos naturales: minerales, bosque, fauna marina, etc. Se ha producido de esa manera la sobreexplotación de algunos recursos, sin que el control de Estado logre poner atajo al fenómeno. El bosque nativo, que demora siglos en formarse, ha sido destruido en parte para reducirlo a astillas de exportación. En su lugar se plantan pinos insignes y eucaliptus que impiden todo otro tipo de vegetación. La pesca ha estado a punto de extinguir algunas especies, mientras la crianza de salmones ha contaminado las aguas de los lagos y del mar en el sur del país.

EL AMBIENTE URBANO

En las ciudades el aire ha sido contaminado por industrias que emiten humo, gases y sustancias nocivas. Los buses y automóviles, por su parte, aumentan el volumen de gases tóxicos, a pesar del uso de convertidores catalíticos y de las restricciones periódicas. El problema más grave está en Santiago, a causa de las cadenas cordilleranas que impiden la salida del aire contaminado y porque al ascender éste con el calor del día, se encuentra con capas frías de la atmósfera y se produce la reversión hacia abajo.

También ha llegado a ser un problema grave la escasez de buenos caminos y de vías expeditas en las ciudades, que dificultan el tránsito y provocan "tacos" en muchas calles y avenidas. El metro y la construcción de nuevas líneas subsanan la dificultad en alguna medida.

La solución que está en marcha es la construcción de vías expeditas y de carreteras modernas por cuenta del Estado o entregándolas en concesión a empresas privadas. La reactivación del ferrocarril es otra medida que se ha iniciado.